LES GRANDS ESPRITS...

JEAN BOISVERT

LES GRANDS ESPRITS...

Les six premiers scénarios complets
de la remarquable série télévisée

d'après une idée originale et des textes de

STEVE ALLEN

EDITIONS

marcel broquet

Casier postal 310 — LaPrairie, Qué. J5R 3Y3 — (514) 659-4819

Photos: André Le Coz
Couverture et mise en pages: Productions graphiques ADHOC
Production: Denise L. Bissonnette

Copyright Ottawa 1984
Éditions Marcel Broquet Inc.
© Photos: Société Radio-Canada
© Textes: Jean Boisvert

Dépôt légal: Bibliothèque Nationale du Québec
              1er trimestre 1984
ISBN: 2-89000-121-0

les grands esprits

préambule

Le 10 janvier 1977, confiné à la maison par une tempête de neige, je consultai l'horaire des émissions de télévision et fus intrigué par « Meeting of minds » dont on annonçait la première au réseau américain Public Broadcasting System. La notice décrivait ainsi l'émission : « Un entretien entre Cléopâtre, Thomas d'Aquin, Thomas Paine et Theodore Roosevelt. Écrit et animé par Steve Allen. » À l'audition, j'eus vite fait de me rendre compte que c'était une idée géniale.

Dès le lendemain, j'entrai en contact avec Steve Allen dans le but d'obtenir le droit de produire en français cette série qui supporterait mal le doublage. Sa bienveillante autorisation de changer certains de ses personnages, et de transformer ses textes en conséquence, m'a permis « d'inviter » des Canadiens et des francophones plus près de nous que certains hôtes de la série américaine. Ainsi, dans les textes qui suivent : Honoré Mercier au lieu de Theodore Roosevelt, Pontiac au lieu de Ulysses Grant et Anna de Noailles au lieu d'Emily Dickinson.

Puis, vinrent les pourparlers avec la Société Radio-Canada dont messieurs Jean-Marie Dugas, Jean-Claude Rinfret et Richard Martin ont eu la confiance et le flair qu'il fallait pour accueillir ce projet, en apparence, rébarbatif. Négociations, émission pilote, sondage et recherche auprès d'un échantillon du public, rectifications appropriées et, enfin, à l'automne 1982, « Les Grands Esprits... » naissait. Voilà pour l'historique.

Depuis sa naissance, ce petit... ou, ce grand... a suscité de nombreux commentaires. Celui qui m'a le plus réjoui est le regret de plusieurs téléspectateurs de ne pas en apprendre assez durant les émissions.

7

Un regret, réjouissant? Paradoxal!

Pas du tout! Je m'explique par un retour aux sources, aux sources de la télévision.

Premier réalisateur à la télévision de Radio-Canada, balletomane (grâce à mes parents qui l'étaient avant moi!), au fait de la conception populaire: « le ballet, c'est des filles qui dansent sur les orteils » j'ai décidé d'utiliser la télévision pour faire comprendre et aimer le ballet par la masse. Mon travail, conjugué à celui de madame Ludmilla Chiriaeff, immigrée récente à l'époque, a contribué à former une troupe et un public qui ont finalement permis la création des « Grands Ballets Canadiens ». C'est une de mes réalisations qui m'a le plus comblé. Je sais gré à madame Chiriaeff de ne pas rater une occasion de rappeler le rôle de la télévision dans l'évolution de sa carrière au Canada et dans celle de la danse au Québec.

Aujourd'hui, la lecture n'est pas aussi dédaignée que l'était le ballet à l'époque, mais on ne saurait prétendre qu'elle occupe, dans nos loisirs, la place qui lui convient ni le temps qu'elle mérite. Avec « Les Grands Esprits... » j'espère que la télévision pourra, encore une fois, jouer un rôle marquant auprès des miens et leur redonner le goût de lire et, par ricochet, l'habitude de penser.

Les émissions de télévision veulent faire connaître des « Grands Esprits... » et aussi, les faire aimer, les rendre attachants. En deux heures d'antenne, on ne peut évidemment pas tout dire sur quatre grands personnages, mais si on réussit à piquer la curiosité du téléspectateur, à le faire regretter de ne pas en avoir appris plus, à lui donner le goût de compléter ses connaissances en lisant, à le provoquer à lire, le but est atteint, le « regret réjouissant » dont je parlais plus tôt n'a rien de paradoxal et le temps passé devant le petit écran n'est pas du temps perdu.

Jean Boisvert

N.B. Pour respecter l'horaire, certains textes ont dû être raccourcis en cours de répétitions ou de montage. Nous vous donnons ici le texte original complet.

à Diane Dansereau,

qui a été la première à croire aux « Grands Esprits... »
et à y travailler, sans compter.

Thomas Paine *(Jean-Louis Roux)*, **Cléopâtre** *(Andrée Lachapelle)*, **Edgar Fruitier**, **Honoré Mercier** *(Albert Millaire)*, **Thomas d'Aquin** *(Ronald France)*.

1

première partie

Invités:

du Canada du XIXe siècle,
HONORÉ MERCIER,
premier ministre de la Province de Québec

de l'Égypte du 1er siècle, avant Jésus-Christ,
sa Majesté la reine CLÉOPÂTRE VII

de l'Italie du XIIIe siècle,
le père THOMAS D'AQUIN

de l'Angleterre, des États-Unis
et de la France du XVIIIe siècle,
THOMAS PAINE

Distribution:

Hôte	Edgar Fruitier
Honoré Mercier (1840-1894)	Albert Millaire
Cléopâtre (69-30 av. J.C.)	Andrée Lachapelle
Thomas d'Aquin (1225-1274)	Ronald France
Thomas Paine (1737-1809)	Jean-Louis Roux

E. Fruitier — L'idée de faire rencontrer des personnages de diverses époques de l'histoire n'est pas nouvelle. Ainsi au XIIIe siècle, le grand poète de Florence, Dante Alighieri écrivit un des chefs-d'oeuvre de la littérature: la Divine Comédie. Au début du poème, Dante est accueilli aux portes de l'enfer par Virgile, le poète latin et, plus tard, il rencontre Cicéron. Même si l'idée n'est pas nouvelle, elle est toujours fascinante. Qu'arriverait-il, par exemple, si on pouvait rencontrer Cléopâtre en chair et en os et lui demander ce qu'elle pense de Jules César, ou encore si on pouvait discuter de philosophie avec Thomas d'Aquin, de révolution avec Thomas Paine ou de politique avec l'ex-premier ministre du Québec, Honoré Mercier? Eh bien c'est ce que nous allons bientôt voir car... c'est possible!

Notre premier invité est passé à l'histoire mais il fait partie de la vie quotidienne des Québécois qui ont donné son nom à des rues, à des parcs, à un pont et à une ville. En France, le président Carnot l'a fait commandeur de l'ordre du roi Léopold, et le pape Léon XIII l'a créé comte du palais apostolique et de la cour de Latran. Mesdames et messieurs, l'ex-premier ministre de la province de Québec, monsieur Honoré Mercier.

(Il entre, serre la main d'Edgar Fruitier.)

Monsieur le premier ministre, nous sommes honorés de vous avoir parmi nous.

Mercier — Pardon monsieur, c'est *moi* qui suis Honoré... *(au public)* Vous devez bien vous douter que ce n'est pas la première fois que je la fais celle-là!

E. Fruitier — *(Invite Mercier à s'asseoir et en fait autant)* Tous ces titres que je viens d'énumérer témoignent de la haute estime dans laquelle on vous tenait à travers le monde.

Mercier — Naturellement, c'est avec fierté que j'ai accepté ces distinctions mais aussi avec humilité. Même si j'ai pu rendre certains services à la France, à la Belgique et à l'Église, je me rends bien compte que c'est plutôt la fonction que l'homme que l'on glorifie dans de tels cas.

E. Fruitier — Vous étiez peut-être idéaliste, mais vous ne manquez certainement pas de réalisme. Dites-nous brièvement comment vous en êtes venu à vous intéresser à la politique.

Mercier — J'ai toujours été attiré par la politique. Déjà quand j'étais gamin, mon père m'amenait entendre les discours des politiciens; *(L'orateur prend le dessus)*... comme c'était émouvant, quels patriotes, quels orateurs... *(Il se reprend)* Vous avez dit brièvement...! *(Malin, jetant un regard vers le public)* J'ai entendu dire qu'aujourd'hui au Québec, il arrive assez souvent que le journalisme mène à la politique... eh bien, c'est par là que j'ai commencé. Tout en faisant mon droit dans une étude d'avocats célèbres, à Saint-Hyacinthe, je me suis mis à écrire pour un des journaux locaux, le Courrier. Ses directeurs étaient membres du parti conservateur que j'appuyais. Cependant, durant la lutte qui a précédé l'avènement de la confédération, le journal et le parti ont pris position pour le fédéralisme que je combattais violemment. En conscience, je devais donc abandonner l'un et l'autre. Mais j'ai continué à participer régulièrement à de nombreux débats publics.

E. Fruitier — De... nombreux débats?

Mercier — Mais oui, à mon époque la vie intellectuelle n'était pas concentrée dans les métropoles comme elle l'est aujourd'hui. Par contre, il n'y avait aucun de ces moyens de communication qui envahissent tous les lieux et tous les instants de votre vie! Pas de télévision, ni de cinéma, ni de radio. Les débats étaient donc une source de distraction courante et fort populaire.

E. Fruitier — C'étaient des débats politiques?

Mercier — Pas toujours; tous les sujets étaient valables; histoire, philosophie, littérature, etc...

E. Fruitier — Ça me semble plutôt austère comme distraction; les assistances devaient être clairsemées!

Mercier — Au contraire! Par beau temps, ils avaient toujours lieu à l'extérieur ce qui nous permettait d'accueillir des auditoires plus nombreux. Il fallait voir les foules sur la place du marché à Saint-Hyacinthe, au marché Bonsecours à Montréal...

E. Fruitier — En somme, les foules s'instruisaient en se distrayant?

Mercier — Exactement!

E. Fruitier — *(À la caméra)* Les temps ont bien changé!
(À Mercier) Revenons à votre carrière politique. Comment a-t-elle vraiment commencé?

Mercier — J'ai d'abord été élu député au parlement fédéral d'Ottawa.

E. Fruitier — Tiens au parlement fédéral! Mais vous venez de nous dire que vous étiez un adversaire du fédéralisme!

Mercier — Oui, mais quand mes compatriotes élus par le peuple ont voté en faveur de la confédération je me suis soumis à leur verdict et j'ai accordé ma confiance aux pères canadiens-français de la confédération. Plus tard, après que la loi fut sanctionnée, j'ai estimé que le meilleur service à rendre aux miens était d'être sur place, à Ottawa, pour défendre leurs intérêts et l'autonomie de notre province.

E. Fruitier — L'autonomie? Mais j'ai toujours cru que c'était un de vos successeurs, le premier ministre Maurice Duplessis qui avait... euh... « inventé » l'autonomie de la province de Québec!

Mercier — Pas du tout; l'autonomie, cher monsieur Fruitier, date d'avant la confédération. L'existence des provinces a précédé celle du pays et c'est des provinces que le pays a reçu ses pouvoirs. Avant 1867, les provinces possédaient le gouvernement responsable, elles avaient leurs législatures, leurs lois et leur autonomie. Dans l'intérêt général, elles ont délégué une partie de leurs pouvoirs au gouvernement fédéral, mais ce qu'elles n'ont pas délégué, elles le possèdent encore. Elles sont souveraines dans les limites de leurs attributions et toute atteinte portée à cette souveraineté est une violation du pacte fédéral.

E. Fruitier — C'est d'une grande logique.

Mercier — Évidemment! Et je vais vous dire une chose que j'ai souvent répétée! « que l'autonomie des provinces soit garantie par la constitution, personne n'en peut douter; qu'elle soit menacée par Ottawa, tout le monde l'admet! »

E. Fruitier — Monsieur le premier ministre, vous êtes né...?

Mercier — À Sabrevois en 1840.

E. Fruitier — Donc, trois ans seulement après l'insurrection des patriotes canadiens-français contre les autorités anglaises en 1837; est-ce que ces événements ont influencé votre vie, votre personnalité?

Mercier — Certainement! Mon père était un ardent partisan de Papineau; en plus de se battre, en 37, il avait caché dans notre maison des patriotes recherchés par les Anglais puis les avait aidés à s'enfuir aux États-Unis. À cause de cela, on l'a arrêté et emprisonné, ce dont il se vantait. Le patriotisme est donc un sentiment qui m'a été inculqué dès ma plus tendre enfance, et j'ai été très touché aujourd'hui d'apprendre que l'on parle encore de moi comme d'un patriote.

E. Fruitier — Dans quelques instants, monsieur le premier ministre, nous accueillerons une dame fougueuse: la reine Cléopâtre d'Égypte; cela ne vous intimidera pas?

Mercier — Mon Dieu non! Je n'ai jamais baissé les yeux devant une jolie femme! Je me souviens que durant ma première campagne électorale provinciale, il arrivait quelques fois que des femmes s'approchent de moi pour m'embrasser. C'est un plaisir que je ne pouvais ni leur, ni me refuser!!! Je crois que les journalistes avaient appelé cette popularité la Merciermanie!

E. Fruitier — Il me semble avoir déjà entendu cette expression quelque part. Je vous remercie monsieur le premier ministre. *(À la caméra)* Notre prochaine invitée est une des femmes les plus remarquables de l'histoire. Elle est devenue reine d'Égypte en l'an 51 avant Jésus-Christ alors qu'elle n'avait que 18 ans. Elle était si intelligente qu'elle serait devenue célèbre à n'importe quelle époque, si belle que Jules César et Marc-Antoine, cet autre grand général romain, en sont devenus follement amoureux et si habile politicienne qu'elle a passé toute sa vie à accroître la puissance de son pays et à le défendre contre la menace romaine. Ce n'est donc pas étonnant qu'elle ait inspiré les peintres et les dramaturges à travers les siècles. Mesdames et messieurs, sa Majesté la reine Cléopâtre d'Égypte. *(Cléopâtre entre, Mercier se lève et l'hôte va tirer son fauteuil)* Monsieur le premier ministre, sa majesté nous a gracieusement dispensés des égards dus à son rang.

Cléopâtre — *(S'asseyant)* En effet, messieurs, vous pouvez vous asseoir.

E. Fruitier — Merci majesté. *(Mercier et Edgar s'assoient)* Majesté, le théâtre et le cinéma vous ont fait connaître dans des costumes fort différents et beaucoup plus fastueux que celui que vous portez ce soir. Pouvez-vous nous expliquer...

Cléopâtre — C'est aux gens du spectacle qu'il faudrait demander pourquoi ils persistent à commettre cette erreur. Le costume dont ils m'affublent habituellement ne servait que lors de l'intronisation et de quelques rares fêtes très spéciales. En dehors de ces circonstances, je portais le costume de mes ancêtres macédoniens, je m'habillais à la grecque, comme vous me voyez maintenant. Sous mon influence, d'ailleurs, Marc-Antoine en faisait autant même à Rome, ce qui n'eût pas l'heur de plaire aux Romains!

16

E. Fruitier — Mais alors d'où vient cette tradition mal fondée?

Cléopâtre — De Shakespeare... ou, au moins de son époque, et les gens de théâtre ont perpétué l'erreur. Je concède que c'est beaucoup plus spectaculaire, mais c'est aussi ridicule que ce le serait de représenter Élizabeth II dans sa vie quotidienne, portant la couronne d'Angleterre, l'orbe, le sceptre et la traîne de velours rouge qu'elle arborait lors de son couronnement. Les Égyptiens avaient inventé le maquillage et se teignaient les cheveux. Je leur laissais tout cela et me vêtais habituellement à la grecque.

E. Fruitier — Dites-moi, est-ce qu'il y avait plusieurs égyptiennes de votre époque qui étaient aussi belles que vous, majesté?

Cléopâtre — *(Polie, mais pas flattée)* Merci monsieur, mais comme je vous l'ai dit, je n'étais pas égyptienne; mes ancêtres étaient d'origine macédonienne.

E. Fruitier — Tiens, c'est un détail qui m'avait échappé.

Cléopâtre — Je n'en suis pas étonnée, monsieur. Il est bien connu que les habitants du *Nouveau* Monde s'intéressent peu à l'histoire de l'*Ancien*.

E. Fruitier — Au contraire, je m'y intéresse beaucoup, *(Montrant ses invités des deux mains)* la preuve. Et s'il y en a qui connaissent mal l'histoire ancienne et celle de l'Europe, au moins, nous connaissons bien celle du Canada.

Mercier — Êtes-vous sérieux? Il n'y a probablement pas une seule personne parmi votre auditoire qui pourrait réussir l'examen le plus élémentaire sur l'histoire de notre beau et grand pays! Comme c'est le passé qui a créé votre présent, y compris les problèmes auxquels vous faites face, il n'est pas étonnant que la plupart d'entre vous ne comprennent pas ce qui arrive aujourd'hui.

E. Fruitier — Vous devez avoir raison. Quels personnages célèbres étaient vos contemporains, à part César et Antoine?

Cléopâtre — Cicéron, le grand orateur romain, Virgile, le poète...

Mercier — Hérode, le roi de Judée aussi, n'est-ce pas, majesté?

Cléopâtre — Oui, monsieur le premier ministre, c'est *Antoine* qui l'avait mis sur le trône.

E. Fruitier — Ce qui nous amène au problème de la langue. Vous parliez l'égyptien, évidemment, et pourtant la plupart des personnages célèbres auxquels on vous associe étaient romains. Comment pouviez-vous communiquer, savoir ce qu'ils pensaient?

Cléopâtre — Je n'ai jamais eu de mal à saisir ce que les *hommes* pensaient! En fait, je parlais sept langues, mais à mon époque, le grec était la langue internationale.

E. Fruitier — Que pensiez-vous des Romains?

Cléopâtre — Nous les considérions comme des parvenus.

E. Fruitier — Les Romains, des parvenus?

Cléopâtre — Mais oui: mes ancêtres macédoniens, les Ptolémées régnaient en Égypte depuis 300 ans, depuis le temps d'Alexandre le Grand!

Mercier — Et vous espériez que le fils que vous aviez eu de César vous succède sur le trône d'Égypte?

Cléopâtre — Non, monsieur le premier ministre. Il aurait succédé à César aussi bien qu'à moi-même et régné non seulement sur l'Égypte, mais sur tout le monde connu à ce moment-là, avec toutes les prérogatives royales d'un pharaon.

Mercier — Majesté, vous avez dû apprendre qu'aujourd'hui, on a de moins en moins de respect pour la royauté.

Cléopâtre — Oui et c'est bien dommage. J'étais traitée non seulement comme une reine mais comme une déesse. Mon peuple croyait que j'étais l'incarnation humaine de notre sainte mère la grande déesse Isis. Mon fils Césarion était considéré comme le fils du grand dieu égyptien Amon.

E. Fruitier — Faisons le point majesté: vous étiez la cinquième femme de Jules César, est-ce exact?

Cléopâtre — Oui et jusque-là, il n'avait eu qu'une fille. À l'été de l'année que vous appelez 47 avant Jésus-Christ, je lui ai donné un fils.

Mercier — Que vous aimiez passionnément.

Cléopâtre — Oh oui! Il était si beau et, de plus, aucune des autres femmes de César, bien que patriciennes, c'est-à-dire de la classe supérieure, n'aurait pu lui donner un fils de sang royal.

E. Fruitier — Pourquoi pas?

Cléopâtre — Parce qu'il n'y avait pas de royauté à Rome qui était une république...

E. Fruitier — Mais oui. Et vous, avant de connaître César, aviez-vous déjà été mariée?

Cléopâtre — Certainement!

E. Fruitier — À qui?

Cléopâtre — À mon frère.

Mercier — Quoi? Vous avez épousé votre propre frère?

18

Cléopâtre — Naturellement: c'était la coutume! Le gouvernement d'Égypte arrangeait de tels mariages afin d'éviter des luttes entre les aspirants au trône. Il comptait que, mariés, nous pourrions régner conjointement et paisiblement.

Mercier — C'est scandaleux!

E. Fruitier — Et choquant!

Cléopâtre — *(Piquée)* Vraiment? Eh bien sachez, messieurs, qu'il y a bien des choses de votre siècle que *je* trouve absurdes!

E. Fruitier — Ah oui! Comme?

Cléopâtre — Comme cette idée idiote de libérer tous vos esclaves.

Mercier — Quoi?

Cléopâtre — Il n'y a jamais eu de manière plus efficace d'accomplir de grands travaux que de les faire faire par des esclaves.

E. Fruitier — C'est pas vrai!

Cléopâtre — Parfaitement! Les tombes des Pharaons, vous en connaissez quelques-unes sous le nom de Pyramides, étaient déjà vieilles dans mon temps. Je n'ai donc rien eu à voir avec leur construction. Mais, pensez-vous que mon peuple aurait pu édifier ces merveilles du monde, s'il avait fallu payer un salaire aux centaines de milliers de travailleurs qui les ont construites?

E. Fruitier et Mercier — *(Ensemble)* Quand même! Ah non, c'est trop!

Cléopâtre — S'il y avait eu des esclaves à Montréal dans les années 70, le stade de Taillibert aurait été complété à temps pour les Olympiques, y compris le mât et le toit, et il n'aurait pas coûté un milliard de dollars!

Mercier — On voit bien que vous venez d'un monde païen où il y avait deux classes distinctes: l'homme libre et l'esclave; celui qui jouissait et celui qui travaillait; l'un constituait la personne civile et politique, l'autre, la chose; le premier avait des droits et pas de devoirs, le second n'avait que des devoirs et pas de droits, le premier...

Cléopâtre — D'abord, il n'est pas question de droits ni de devoirs mais bien de logique, de bon sens et de saine administration. Ensuite, sachez que nos esclaves étaient nourris; vous ne pouvez pas en dire autant aujourd'hui des Biaffrais, des Nicaraguéens, des Cambodgiens, ni de la plupart des habitants de ce que vous appelez le tiers-monde!

E. Fruitier — En effet, vous avez raison.

Cléopâtre — Non seulement vous payez vos ouvriers, mais vous tolérez bêtement qu'ils s'organisent entre eux, de sorte que leurs salaires augmentent chaque jour... ou presque! Remarquez bien ce que je vous dis : si vous continuez de permettre aux travailleurs de n'agir qu'en vertu de leurs propres intérêts, vous allez engendrer le chaos économique dans le monde occidental.

E. Fruitier — *(À la caméra)* J'ai l'impression qu'il vaut mieux changer de sujet ! Combien de temps la civilisation romaine a-t-elle dominé le monde, majesté ?

Cléopâtre — Seulement un millier d'années.

E. Fruitier — « *Seulement* » un millier d'années.

Cléopâtre — Mais oui, seulement ! La civilisation égyptienne, elle, a duré cinq mille ans. Oh, je ne veux pas minimiser l'œuvre des Romains qui fut considérable. On pourrait dire qu'ils furent les Américains de leur époque.

E. Fruitier — Qu'entendez-vous par là ?

Cléopâtre — Qu'ils n'ont pas créé grand-chose, monsieur Fruitier. Les Grecs, eux, étaient de vrais innovateurs : philosophie, mathématiques, architecture, sculpture, etc... Les Romains se sont contentés d'emprunter aux Grecs, aux Égyptiens, aux Étrusques et à d'autres. Ils n'ont contribué à votre culture qu'en disséminant ces connaissances dans les pays qu'ils ont conquis. C'étaient d'excellents politiques et de bons soldats et, généralement, ils ont gouverné les peuples assujettis avec beaucoup d'intelligence.

E. Fruitier — Je vois. Et comment Jules César s'est-il retrouvé à la tête de l'Empire romain ?

Cléopâtre — En un premier temps, il s'allia à deux autres généraux mécontents comme lui de la politique du sénat. Ce fut le premier triumvirat : César, Crassus et Pompée à qui César ne tarda pas à marier sa fille Julie pour consolider le triumvirat. Il laissa aux deux autres triumvirs les problèmes que comportait l'administration de Rome et partit à la conquête de la Gaule.

E. Fruitier — Ah ! Je vois que vous allez nous parler d'Astérix, d'Obélix, de Pano...

Cléopâtre — Je n'avais pas l'intention de vous parler de ces petits personnages, mais puisque vous m'en donnez l'occasion, je tiens à souligner que je n'ai jamais eu besoin des Gaulois pour construire quoi que ce soit : mes esclaves me suffisaient.

E. Fruitier — Eh bien alors, retournons à César.

Cléopâtre — Quelques années plus tard, Crassus mourut. Les sénateurs, effrayés du pouvoir grandissant de César, profitèrent de troubles à Rome pour augmenter les pouvoirs de Pompée et s'en faire ainsi un allié contre César. En 49, le sénat ordonna à

César de démobiliser ses troupes sous peine d'être déclaré ennemi public. Naturellement, il refusa. Je crois que vous employez parfois l'expression « franchir le Rubicon »?

E. Fruitier — Oui, c'est juste.

Cléopâtre — Eh bien, le fleuve Rubicon formait la limite entre la Gaule et l'Italie et une loi ordonnait à tout général romain rentrant en Italie de licencier ses troupes avant de passer ce fleuve. Défiant cette loi, César franchit le Rubicon avec ses armées et marcha sur Rome pour s'attaquer à son ex-allié, Pompée, qui s'était fait donner les pleins pouvoirs. À l'approche de l'armée de César, Pompée et ses légions s'enfuirent jusqu'en Égypte, poursuivis par César.

E. Fruitier — Est-ce que César est parvenu à le capturer?

Cléopâtre — Non. Dès que Pompée mit le pied en Égypte, il fut tué par des agents de mon frère Ptolémée.

Mercier — *(Malicieux)* Vous voulez dire de votre mari Ptolémée.

Cléopâtre — Mon mari, mon frère, comme vous voudrez. C'est peu après que j'ai rencontré César.

E. Fruitier — Quelle sorte d'homme était Jules César?

Cléopâtre — *(Sans broncher)* Dans votre temps, il n'y a plus d'hommes comme mon Jules. Il était supérieurement intelligent. En plus d'être un très grand général, comme j'ai déjà dit c'était un habile manipulateur politique et un excellent administrateur. C'était aussi un écrivain de grand talent comme savent tous ceux qui ont eu à traduire ses Commentaires durant leurs études: « Omnia Gallia in tres partes divisa est ».

Mercier — Toute la Gaule est divisée en trois parties. *(Aparté à l'hôte)* Collège Ste-Marie!

E. Fruitier — Moi aussi, M. le premier ministre. Est-ce que César s'est intéressé à vous dès votre rencontre?

Cléopâtre — Selon votre expression moderne, ce fut le coup de foudre!

Mercier — Il était venu, il avait vu, *vous* aviez vaincu!

E. Fruitier — Pour vous aussi, ce fut le coup de foudre?

Cléopâtre — Non, pas vraiment. Oh! il m'impressionnait: en plus des qualités que je vous ai énumérées, il avait un charme fou, mais au début, j'étais surtout intéressée par ce qu'il pouvait faire pour mon pays. Plus tard, je l'ai vraiment aimé.

E. Fruitier — Pourquoi l'a-t-on assassiné?

Cléopâtre — Plusieurs sénateurs s'inquiétaient de voir son pouvoir grandir sans cesse et voyaient d'un mauvais oeil qu'il s'arrogeât des honneurs et des privilèges indus. L'un d'eux, Cassius, commença par convaincre Brutus qu'il fallait faire disparaître César. Comme Brutus était un protégé de César, Cassius n'eut ensuite aucune difficulté à embrigader assez de sénateurs pour fomenter une conspiration. En 44 avant Jésus-Christ, aux Ides de mars, c'est-à-dire le 15 mars, l'entourage de César tenta de le dissuader de se rendre au sénat parce que les augures — vous diriez son horoscope — n'étaient pas favorables. Il n'était pas du tout superstitieux et les repoussa en disant: « Il n'arrivera à César que ce qui doit lui arriver », puis il se rendit au sénat seul et sans armes. Dès son entrée au sénat, les conspirateurs se précipitèrent sur lui et le poignardèrent.

E. Fruitier — A-t-il vraiment dit: « Et tu Brute! », « Toi aussi. Brutus! »

Cléopâtre — C'est exact! Il était très attaché à Brutus. D'ailleurs j'ai toujours été convaincue que Brutus était son fils illégitime.

E. Fruitier — Un autre détail que j'ignorais.

Mercier — Après sa mort, vous n'aviez plus de raison de rester à Rome?

Cléopâtre — En effet, je suis rentrée en Égypte avec notre fils. Bien des choses sont mortes en même temps que César, entre autres, le rêve que nous avions fait, Jules et moi, d'être à la tête d'un empire mondial.

E. Fruitier — Merci majesté.
Notre prochain invité est un être exceptionnel, même en si auguste compagnie. C'est un des plus grands philosophes de l'histoire et pourtant il se disait non pas philosophe mais théologien. À son époque, la foi était très grande et la raison mésestimée. Pourtant, il a prêché la puissance de la raison. Six siècles après sa mort, en 1879, sa philosophie a été proclamée philosophie officielle de l'Église catholique et pourtant à son époque, au XIII° siècle, ses vues étaient considérées comme un ramassis d'hérésies. Voici donc le dangereux révolutionnaire du XIII° siècle, le père Thomas d'Aquin.

(D'Aquin entre, jette lentement un regard circulaire autour de lui avant de s'asseoir)

E. Fruitier — Père d'Aquin, votre présence nous flatte.

D'Aquin — Je suis très heureux de m'adresser à votre auditoire, monsieur Fruitier. Que de grandes choses nous aurions pu accomplir dans mon temps si nous avions pu, comme vous, atteindre des millions de personnes à la fois.

E. Fruitier — J'imagine. En quelle année êtes-vous né, mon père?

D'Aquin — En 1225, dans la petite ville de Roccasecca près de Naples.

Cléopâtre — Ah, vous étiez italien, descendant des Romains!

D'Aquin — Pardon majesté, mes ancêtres étaient d'origine allemande et normande. Mon père, le comte Landolf d'Aquin, était de la noblesse allemande et ma mère était issue des princes normands qui régnaient en Sicile en ce temps-là.

E. Fruitier — Mon père, on raconte que vos confrères d'université vous avaient surnommé le « bœuf muet »; est-ce exact?

D'Aquin — Hélas oui. C'est un fait que j'étais plutôt lent à assimiler un sujet. Durant mes études, j'aimais mieux penser que parler.

E. Fruitier — Où les avez-vous commencées, vos études!

D'Aquin — À l'Abbaye de Monte-Cassino. J'apprends qu'elle a été détruite durant la Deuxième Guerre mondiale.

Mercier — Quelle folie que d'avoir attaqué un si beau monument!

E. Fruitier — Oui, mais on l'a restaurée depuis.

D'Aquin — Vous avez raison, monsieur le premier ministre, mais je vous assure que ce n'était pas la première fois que cela arrivait. Dans mon temps, Monte-Cassino était une forteresse aussi bien qu'une abbaye et elle a été soumise à des armes aussi destructrices que celles que vous possédez aujourd'hui. De toute façon, à 14 ans, je suis entré à l'université de Naples pour devenir prêtre.

E. Fruitier — Est-ce que c'était une grande université dans ce temps-là?

D'Aquin — Oh oui! Le climat intellectuel y était très stimulant! On y enseignait la philosophie d'Aristote et les cultures grecque, arabe et hébraïque y étaient fort influentes.

Mercier — Vos parents ont dû être très heureux de vous voir choisir le sacerdoce si jeune!

D'Aquin — Au contraire, ils furent horrifiés.

Mercier — Vraiment?

D'Aquin — Oui, oui! Et plus tard, quand j'ai décidé d'entrer chez les dominicains, ma mère m'a fait kidnapper par mes deux frères et pendant un an j'ai été, en somme, prisonnier dans notre château familial de Roccasecca.

Mercier — Incroyable!

D'Aquin — Mais comme ma décision était ferme, ma famille m'a éventuellement laissé partir. J'ai continué mes études à l'université de Paris où j'ai eu la chance d'avoir comme professeur Albertus Magnus. *(À Cléopâtre)* Albert le Grand.

E. Fruitier — Sa majesté parle latin couramment, mon père!

D'Aquin — *(À Cléopâtre)* Oh, pardon, excusez-moi.
(À Mercier) C'est à ce moment-là que l'histoire du bœuf muet est arrivée monsieur le premier ministre. Mais Albert m'a défendu contre mes détracteurs.

Mercier — Comment se fait-il, mon père, que vous vous soyez surtout consacré à combattre l'hérésie?

D'Aquin — À la suite de la croisade des Albigeois et du concile de Toulouse, le pape Grégoire IX confia à mon ordre, les dominicains, la charge d'organiser dans chaque paroisse une commission pour rechercher et dénoncer les hérétiques. C'est pourquoi, monsieur le premier ministre, je me suis consacré à cette tâche.

Mercier — Je vois.
(On frappe vigoureusement à la porte)

D'Aquin — L'hérésie doit toujours...
(On frappe de plus belle)

Mercier — Qu'est-ce qui se passe?

Paine — *(En coulisse)* Laissez-moi entrer, il faut que je puisse lui répondre!

E. Fruitier — Ah! je crois que c'est Thomas Paine, notre quatrième invité; excusez-moi. *(Il va à la porte et l'ouvre)* Oui, c'est lui. Mesdames et messieurs, le citoyen Paine.

(Paine entre précipitamment, deux ou trois livres sous le bras, serre la main de l'hôte, le laisse en place à la porte et se dirige vers la table en disant:)

Paine — Si d'Aquin se met à parler d'hérésie, j'ai le droit d'être à cette table pour lui répondre.

Mercier — Voyons donc, Paine, vous devez attendre votre tour comme nous tous.

Paine — Mais, monsieur le premier ministre, si cet individu peut...

E. Fruitier — Monsieur Paine, si vous permettez, il me semble que je devrais au moins vous présenter officiellement de sorte que nos téléspectateurs et notre auditoire sachent ce que vous avez...

Paine — Très bien monsieur, dites ce que vous voulez.

E. Fruitier — Thomas Paine, pamphlétaire et écrivain, a été un héros de la révolution américaine puis de la révolution française. Toutefois, ses convictions religieuses et ses écrits lui ont fait bien des ennemis. Monsieur le premier ministre, comment avez-vous décrit les révolutionnaires?

Mercier — J'ai dit que c'étaient des visionnaires épris d'utopie, qu'ils étaient guidés par l'irréligion et que leurs activités ont abouti à l'effroyable cataclysme de la révolution. J'ai dit aussi...

Paine — — Des balivernes de monarchiste, tout ça!

E. Fruitier — Monsieur Paine, je vous en prie, laissez monsieur Mercier terminer, vous aurez votre tour ensuite.
(Bourru, Paine se retient de parler)

Mercier — J'ai dit aussi qu'une instruction athée, comme celle que monsieur Paine voulait instituer, engendre des socialistes et des révolutionnaires et qu'elle inspire l'usage de la dynamite au lieu de l'amour du travail qui moralise.

E. Fruitier — Voilà. *(Il se retourne vers Paine)* Monsieur Paine.

Paine — Et en disant cela, monsieur le premier ministre, vous avez menti parce que...

Mercier — Quelle impudence! Sachez monsieur...

E. Fruitier — Monsieur le premier ministre... C'est maintenant *son* tour.

Paine — *(Toujours agressif)* Révolutionnaire, utopiste, irréligieux, je veux bien... mais athée, c'est faux, il faut qu'on le sache. Avez-vous lu mon livre, « Le siècle de raison »?

Mercier — Euh... non, mais j'en ai lu des critiques et je sais qu'on l'a surnommé « la Bible de l'athée ».

Paine — Laissez faire les critiques; on le réédite encore et on peut le trouver en librairie; que les gens le lisent et se fassent eux-mêmes une opinion. *(Il se calme un peu)* Cela pourra peut-être vous intéresser d'apprendre, monsieur le premier ministre, que j'ai commencé à l'écrire dans la prison de Luxembourg où Robespierre m'avait fait enfermer en attendant mon exécution. À ce moment-là, mon pays natal, l'Angleterre, me rejetait, George Washington et les Américains m'ignoraient et les Français m'avaient fait emprisonner. Dans de telles circonstances, un autre homme aurait pu être tenté de se laisser aller au désespoir et même au suicide. Au lieu de cela j'ai commencé à écrire « Le siècle de raison » où je contemple la puissance, la sagesse et la bonté de Dieu et de ses œuvres.

D'Aquin — On est heureux d'apprendre que vous avez trouvé le temps de poursuivre un tel but, monsieur Paine.

Paine — Je n'ai pas trouvé le temps, mon père, on me l'a imposé. J'ai terminé « Le siècle de raison » un an plus tard, après qu'on m'eût relâché à la fin de la Terreur.

Cléopâtre — Maintenant que ce monsieur s'est défoulé, pourrions-nous revenir à notre conversation?

Paine — Allez-y, mais je serai de la partie!

Cléopâtre — Très bien. Quels philosophes de votre époque avez-vous combattus, père d'Aquin?

D'Aquin — J'ai longtemps lutté contre Averroès qui a vécu un peu avant moi mais dont les opinions avaient engendré une dangereuse hérésie en Europe.

Cléopâtre — Quelles étaient donc ces opinions pernicieuses?

D'Aquin — Il enseignait que les lois de la nature régissent l'univers sans aucune intervention de la part de Dieu.

Paine — Bravo!

E. Fruitier — C'est ce que bien des gens pensent aujourd'hui.

D'Aquin — Hélas, oui. Il enseignait que l'âme mourait en même temps que le corps et croyait que le ciel et l'enfer étaient des contes de fée inventés pour encourager le peuple ou le terroriser.

Paine — Il me plaît beaucoup cet Averroès!

Mercier — Ses opinions s'apparentent à celles de l'homme moderne.

Cléopâtre — Etait-il chrétien?

D'Aquin — Non majesté, c'était le plus influent philosophe islamique de son temps.

Cléopâtre — Quelle sorte d'homme était-ce?

D'Aquin — C'était un médecin extraordinaire. Son encyclopédie de la médecine a longtemps été le manuel de nos universités parce qu'aucun écrit chrétien ne l'égalait. Il a écrit des papiers importants sur la logique, la physique, la théologie, l'astronomie et surtout des commentaires sur Aristote qu'il ne percevait pas comme moi.

Paine — Et pour tout cela, vous le méprisiez!

D'Aquin — Oh non, jamais monsieur Paine mais je m'opposais à certaines de ses opinions. Je voudrais rappeler un point de vue que l'homme moderne semble avoir oublié.

E. Fruitier — Lequel?

Thomas d'Aquin *(Ronald France)*

D'Aquin — Nous devons respecter nos ennemis; d'abord parce que c'est là l'esprit de la charité chrétienne mais aussi par égoïsme parce qu'ils peuvent nous apprendre beaucoup de choses. Ce qui ne veut pas dire qu'on doive accepter toutes les idées de nos adversaires mais plutôt qu'il ne faut pas laisser la colère nous empêcher de percevoir ce que leur sagesse peut nous apprendre. Pour ma part, j'ai l'impression d'avoir affûté ma cervelle en la frottant contre celle de mes adversaires.

E. Fruitier — Merci, mon père. Maintenant, monsieur Paine, je voudrais vous poser...

Paine — Avant que vous me posiez *vos* questions, j'aimerais en poser quelques-unes directement au père d'Aquin.

E. Fruitier — Êtes-vous d'accord, mon père?

D'Aquin — D'autant plus que je suis certain que c'est inévitable.

Paine — Affirmeriez-vous que, dans vos volumineux écrits, vous aviez toujours raison?

D'Aquin — Certainement pas monsieur.

Paine — Donc, si vous n'aviez pas toujours raison, vous avez eu tort sur certains points; et si vous avez eu tort une fois, vous auriez pu errer sur n'importe quel autre sujet.

D'Aquin — Cela s'ensuit, monsieur Paine, mais voulez-vous conclure que j'ai toujours fait fausse route?

Paine — Non monsieur.

D'Aquin — Si je n'ai pas eu tort sur tous les thèmes, il s'ensuit qu'il y en a au sujet desquels j'ai eu raison. Vous auriez peut-être eu avantage à essayer de trouver les passages où j'avais raison.

Mercier — Très bien, mon père. *(Il se frotte les mains)* Quel magnifique débat: Monsieur Paine, pouvez-vous nous donner des exemples d'erreurs du père d'Aquin?

Paine — *(Prenant un de ses livres)* Bien sûr j'arrive préparé. « Summa theologica », deuxième tome, je cite: « Il ne peut pas exister d'autre terre que la nôtre parce que tout autre terre serait naturellement attirée par notre terre centrale ». Est-ce assez flagrant, monsieur le premier ministre?

D'Aquin — Je concède l'erreur.

Paine — *(Feuilletant un autre bouquin)* Et dans votre « Somme contre les gentils », troisième tome; vous affirmez que même si les animaux naissent suivant le procédé biologique normal — c'est-à-dire comme vous et moi — « certaines formes inférieures de vie, comme les insectes, ne sont pas engendrées par leurs parents mais naissent de la putréfaction de la matière en décomposition ». Encore une, n'est-ce pas?

D'Aquin — En effet, monsieur Paine, mais j'ai toujours parlé en tant que théologien et n'ai jamais prétendu être un expert des sciences physiques. Vous faites allusion à une croyance qui était courante dans mon temps. Vous avez dû adopter vous-même des opinions scientifiques qui avaient cours de vos jours et qui ont été renversées plus tard. Nous sommes tous limités par les connaissances scientifiques à notre disposition au moment où nous écrivons.

Mercier — C'est vrai qu'un écolier de dix ans, aujourd'hui, a plus de connaissances scientifiques que la plupart des savants des siècles précédents.

Paine — Bien sûr, mais des opinions que la science n'a pas corroborées devraient être avancées avec plus d'humilité et moins d'assurance.

D'Aquin — D'accord. Mes erreurs dans le domaine de la science étaient peut-être inhérentes à la méthode scolastique. Rationnelle, elle reposait sur le raisonnement et la logique plutôt que sur l'observation expérimentale ou sur la science.

Paine — Ce que je veux établir clairement, c'est que ces erreurs ont des conséquences importantes sur le reste de l'œuvre du père d'Aquin et sur la morale qu'il enseigne. *(Feuilletant le même livre)* Au chapitre 103 de la même « Somme contre les gentils »: « Le regard d'une femme menstruée peut affecter un miroir ».

Cléopâtre — Vraiment!

Paine — Je vous affirme, majesté, messieurs, que l'œuvre de d'Aquin est truffée d'exemples semblables, de superstitions sans fondement. Je ne nie pas que le savant docteur soit un talentueux logicien et un profond philosophe, mais comme il base souvent ses arguments sur des superstitions et des erreurs scientifiques, je prétends que nous devons être sur nos gardes en l'écoutant.

D'Aquin — Comme vous devez être sur vos gardes en écoutant n'importe qui, monsieur Paine, y compris vous-même. Même ceux qui désirent sincèrement ne dire que la vérité font parfois des erreurs. Personne n'a toujours raison sauf Dieu.

Paine — Je reconnais que Dieu ne peut dire que la vérité, mais si en disant Dieu vous voulez dire la Bible qui est farcie de mensonges, de contradictions et de contes de fée, il est évident qu'elle ne peut pas être la parole du Dieu Tout-puissant et Toute Vérité. De plus, cher monsieur, il n'est pas juste de dire que vos erreurs étaient limitées à des sujets scientifiques ou techniques.

Vous avez aussi fait des erreurs qui étaient purement philosophiques ou même théologiques ou spirituelles, pour utiliser vos termes.

D'Aquin — Vraiment?

Paine — Oui, oui. *(Consultant son livre)* « La Somme » chapitre 104, paragraphe 7, vous écrivez et je cite : « La faculté de se déplacer soi-même est subordonnée à la possession d'une âme car c'est le propre des êtres animés de se mouvoir eux-mêmes ». Vous affirmez donc, monsieur, que les chiens, les chats, les lézards et Dieu sait quelles autres créatures ont toutes une âme?

D'Aquin — Oui, j'ai écrit cela. Le mot animal vient du mot latin anima qui veut dire esprit ou principe de la vie corporelle et non pas âme qui est le principe de la vie incorporelle.

Paine — Bien entendu. Mais, monsieur, d'une part vous dites que la Trinité et d'autres mystères chrétiens ne peuvent pas être appréhendés, compris par l'intelligence; d'autre part, vous affirmez la puissance de la raison.

D'Aquin — C'est exact, monsieur.

Paine — Comment pouvez-vous accepter des doctrines qui sont contraires à cette raison que vous respectez tellement?

D'Aquin — Vous m'avez mal compris, monsieur. J'affirme que les limites de l'intelligence humaine la rendent incapable de saisir certaines choses mais je nie que ces mêmes choses soient contraires à la raison. Dieu est un être complètement rationnel et conséquemment dans ses saintes écritures il ne peut pas nous avoir enseigné quoi que ce soit de contraire à sa propre raison suprême.

Paine — Encore la Bible!

D'Aquin — Cependant, l'homme ne doit pas pour autant s'arrêter muet et impuissant devant ce mur impénétrable qu'il peut surmonter grâce à sa foi. Il a plus qu'il ne faut de ce côté-ci du mur pour occuper son temps et son attention. Si un homme n'arrive pas à trouver la paix en lui-même, s'il ne sait garder calmes les eaux de son âme, ça ne change pas grand-chose qu'il ne puisse pas saisir l'intelligence de Dieu.

Cléopâtre — Ah! je trouve cette conversation sur des sujets abstraits mortellement ennuyeuse; allons, mon père, parlons de choses plus pratiques.

D'Aquin — Comme quoi?

Cléopâtre — Que pensez-vous de la femme?

D'Aquin — Ah, mon Dieu! Je crains fort que les gens de ce siècle ne partagent pas mes vues là-dessus. J'ai soutenu, comme Aristote, qu'à chaque naissance, la nature *désire* produire un mâle et que, conséquemment, quand une femelle naissait, c'était le résultat d'un accident ou d'un défaut.

Cléopâtre — Vous ne pouvez pas vraiment penser cela! Personne, mon père, ni vous ni Aristote ne peut *savoir* ce que la nature *désire*. De plus, si ce que vous imaginez être le désir de la nature était exaucé, il ne naîtrait que des mâles et la race humaine disparaîtrait en un rien de temps.

D'Aquin — J'ai soutenu que la femme ne contribuait que passivement à la création d'un nouvel individu. Mais j'apprends que des découvertes biologiques subséquentes ont démontré que j'avais tort sur ce point. J'ai aussi prétendu que le sexe féminin était le plus faible par son corps, par son esprit et par sa volonté.

Cléopâtre — Absurde!

D'Aquin — Que l'appétit sexuel était plus développé chez la femme que chez l'homme.

Cléopâtre — Et avec une logique implacable...

D'Aquin — Bien que dans un cas comme dans l'autre, je ne parlais pas par expérience personnelle.

Cléopâtre — Et avec une logique implacable, vous avez continué d'interdire la polyandrie! De défendre aux femmes d'avoir plusieurs maris! Il ne vous est donc jamais apparu, mon père, que la femme et l'homme avaient besoin l'un de l'autre?

D'Aquin — J'ai dit que la femme avait besoin de l'homme en toutes choses tandis que l'homme n'avait besoin de la femme *que* pour la procréation.

Cléopâtre — Même pas pour ses besoins matériels?

D'Aquin — Non, nous avions les frères convers pour ça! Je considère comme évident que l'homme peut tout faire mieux que la femme, même les tâches habituellement réservées aux femmes, comme tenir maison, faire la cuisine ou fabriquer des vêtements. Même dans la pratique des arts ménagers, l'homme est plus habile que la femme. C'est aussi un axiome que la femme n'est pas propre à occuper des postes importants dans l'Église ou l'État.

Cléopâtre — Et que faites-vous des reines et des princesses de l'antiquité et de celles de votre temps?

D'Aquin — Elles n'ont régné qu'en l'absence malheureuse de rois et de princes; elles étaient donc relativement inférieures, même dans l'exercice de ces hautes fonctions.

Cléopâtre — Allez raconter cela aux Anglais, aux Indiens et aux Israéliens, ils vous parleront de la reine Élizabeth, de Margaret Thatcher, d'Indira Gandhi et de Golda Meier.

D'Aquin — Je m'abstiens d'être subjectif, cela ne peut que fausser les données ou entraîner la discussion vers des disgressions oiseuses. Pour continuer, il m'a toujours semblé raisonnable que la femme considère l'homme comme son maître naturel et qu'elle se soumette à sa discipline et à ses corrections.

Cléopâtre — Qu'arriverait-il, mon père, si la femme d'un couple donné était intelligente et sage mais l'homme rustre et idiot?

D'Aquin — J'ai traité, majesté, des choses comme elles devraient être et non pas comme elles sont parfois!

Cléopâtre — Ah! Ah!

D'Aquin — Je tiens à souligner que je n'ai jamais prétendu à l'infaillibilité qui est l'apanage des papes.

Paine — Encore un dogme que vous n'aviez pas prévu.

D'Aquin — En effet et ce n'est pas le seul.

E. Fruitier — Ah non?

D'Aquin — Celui de l'Immaculée-Conception de la Vierge Marie qui spécifie qu'elle est née sans la tache originelle qui souille les âmes de tous les autres humains.

Cléopâtre — Ah! On ne s'entendra jamais sur ce sujet, mon père. Peut-être sur la politique?

D'Aquin — J'en doute fort, majesté. J'ai toujours cru que l'État existait en fonction de l'individu et non pas l'individu au bénéfice de l'État.

Cléopâtre — D'accord, nous sommes en désaccord!

D'Aquin — Je m'en doutais bien et malheureusement, il s'en trouve plusieurs aujourd'hui pour penser, comme vous, que les droits de l'individu sont subordonnés à ceux de l'État. La souveraineté vient de Dieu mais elle est exercée par le peuple qui, pour des raisons pratiques, la délègue à un ou plusieurs représentants.

Paine — Vous voulez dire ... à un roi?

D'Aquin — Peut-être, mais je n'ai jamais cru à la légitimité des droits purement héréditaires au trône — n'en déplaise à votre majesté — sauf dans les cas où une telle succession était approuvée par le peuple.

Mercier — C'est pourquoi la démocratie a recours à l'appel au peuple qui permet à celui-ci de déléguer sa souveraineté et qui permet aussi de trouver la seule solution constitutionnelle à tout problème grave que se pose un gouvernement. L'assemblée nationale n'est pas créée seulement pour passer des lois, mais aussi pour exprimer le sentiment du peuple. Reconnaître quel a été le verdict du peuple, c'est résoudre correctement le point en litige. Mon père, ne croyez-vous pas que la démocratie soit le mode idéal de gouvernement?

D'Aquin — La démocratie, l'aristocratie, la monarchie sont toutes valables pourvu qu'elles soient régies par de bonnes lois et administrées par un bon gouvernement. La meilleure forme de gouvernement est peut-être une monarchie constitutionnelle où d'une part le peuple peut compter sur la force d'un chef unique et sage et d'autre part sur une constitution écrite qui garantit les droits des individus de sorte que si un chef tentait de s'arroger des droits qu'il n'a pas, la constitution l'en empêcherait.

Mercier — Je dois reconnaître, mon père, que vos vues sont plus modernes que j'aurais prévu.

D'Aquin — Je ne suis pas certain, monsieur le premier ministre, que ce soit flatteur d'être considéré comme moderne par les temps qui courent.

Mercier — Vous êtes-vous penché sur l'économie, mon père?

D'Aquin — Seulement sous son aspect moral. J'ai soutenu que c'est le droit des communautés, c'est-à-dire des peuples, par le truchement de leurs chefs, de réglementer l'agriculture, l'industrie ou le commerce au bénéfice de la majorité.

Mercier — Tout à fait d'accord!

D'Aquin — Je crois aussi qu'il est correct, moralement, qu'une communauté établisse des prix justes pour éviter que ceux qui contrôlent presque tous les biens et les services ne demandent plus cher que ces choses ne valent honnêtement.

Mercier — Me voilà satisfait mais très étonné. Si vous viviez aujourd'hui, vos vues sur ce sujet vous exposeraient à de violentes attaques de la part de certaines factions.

D'Aquin — Je vous assure que c'est une expérience que j'ai souvent vécue dans mon temps, *(indiquant le public)* et même ce soir!

Paine — Dites-moi, père d'Aquin, préférez-vous la réforme progressive comme l'a pratiquée notre ami Mercier ou mes méthodes révolutionnaires?

D'Aquin — Chacune a sa place et son temps, tout comme le conservatisme d'ailleurs. Mais, monsieur Paine, vous rendez-vous compte que j'ai été, comme vous, considéré comme un dangereux révolutionnaire.

Paine — Ah?

D'Aquin — Oui et je regrette énormément que vous n'ayez jamais perçu l'essence vraiment révolutionnaire du message chrétien. Ainsi si je vous demandais qui a dit: « un petit nombre de riches a pu écraser la masse des pauvres sous un joug à peine plus supportable que l'esclavage », vous répondriez...? »

Paine — Karl Marx ou un autre philosophe socialiste?

Mercier — Permettez. Je n'ai pas de mérite à vous répondre puisque j'ai connu l'auteur de ces paroles. C'est le pape Léon XIII qui régnait dans mon temps et qui m'a fait l'honneur de me créer Comte du Saint-Empire.

D'Aquin — Exactement. Et le Christ lui-même nous a dit qu'il est plus facile pour un chameau de passer par le chas d'une aiguille que pour un riche d'entrer au ciel. Je vous concède que les grands de l'Église ont souvent mésusé de sa puissance et de son autorité à des fins personnelles, mais ça n'empêche pas que le message essentiel du Christ soit profondément révolutionnaire. Monsieur Paine, vous êtes considéré comme un des plus grands dissidents de l'histoire de l'Amérique et de l'Europe mais vous n'êtes pas un aussi grand dissident que Jésus-Christ.

Mercier — Voilà qui est bien dit, mon père.

E. Fruitier — Continuons sur le thème de la dissidence et de la révolution; monsieur Paine, il y a une question qui intrigue bien des gens. Les Canadiens, les Australiens et d'autres sont restés heureux sous le drapeau britannique. Pourquoi les Américains se sont-ils révoltés?

Mercier — Excusez-moi monsieur Paine, mais avant que vous ne répondiez à la question de monsieur Fruitier, je tiens à m'inscrire en faux contre son affirmation que les Canadiens sont restés heureux sous le drapeau britannique.

E. Fruitier — J'en prends note. Alors, monsieur Paine, pourquoi les Américains se sont-ils révoltés?

Paine — Plusieurs de nos problèmes étaient économiques. Les marchands et les hommes d'affaires devenaient très puissants en Angleterre et ne voulaient pas de compétition de la part des marchands et des manufacturiers des colonies. C'est pourquoi en 1750 l'Angleterre a institué l'Iron Act, la loi du fer.

E. Fruitier — Qu'est-ce que c'était au juste cette loi du fer?

Paine — Elle interdisait la fabrication en Amérique d'à peu près tous les objets à base de fer. En somme, Londres voulait que ses colonies produisent des matières premières mais achètent les produits finis de la mère patrie. Ils se voulaient commerçants et nous voulaient clients. Benjamin Franklin a mis l'Angleterre en garde contre les dangers d'une telle loi qui servait les intérêts des marchands britanniques mais aliénait des centaines de milliers de colons.

Mercier — C'est amusant de penser que si Londres avait suivi les conseils de Franklin, les États-Unis seraient peut-être encore attachés à l'Angleterre.

Paine — C'est possible, bien qu'il y ait eu d'autres sujets de mécontentement.

E. Fruitier — À savoir?

Paine — La religion en était un et c'est encore un cas, mon cher d'Aquin, où la religion a été destructrice au lieu de bénéfique.

E. Fruitier — Que voulez-vous dire?

Paine — La plupart des officiers britanniques étaient des anglicans convaincus et regardaient de très haut les « hérétiques » de toutes sortes qui habitaient les colonies.

E. Fruitier — Monsieur Paine, avant d'aller plus loin dans la révolution américaine où vous avez joué un si grand rôle, je voudrais enfin vous poser les questions que j'avais en tête plus tôt. Vous êtes né en Angleterre, n'est-ce pas?

Paine — Oui, à Thetford, dans le comté de Norfolk, en 1737.

E. Fruitier — Vos parents étaient?

Paine — De croyance, mon père était quaker; de métier corsetier.

E. Fruitier — Et vous avez été éduqué...?

Paine — Grâce à la charité, car mes parents étaient pauvres. C'est pourquoi dès l'âge de 13 ans, j'ai commencé à aider mon père comme corsetier.

E. Fruitier — Qu'avez-vous fait d'autre?

Paine — J'ai été matelot, cordonnier, instituteur et puis collecteur d'impôts et c'est comme tel que j'ai commencé à m'intéresser à la politique.

E. Fruitier — Quand êtes-vous venu en Amérique?

Paine — J'y suis venu à 38 ans en 1774.

E. Fruitier — Donc deux ans seulement avant la révolution américaine.

Paine — Oui. J'ai eu la chance de rencontrer Benjamin Franklin à qui tout le monde civilisé devra toujours une immense gratitude.

Mercier — En effet!

Paine — Comme je n'entrevoyais pas pouvoir faire une carrière productive en Angleterre, j'ai décidé d'émigrer aux États-Unis et Franklin a eu l'amabilité de me donner une lettre de recommandation qui m'a permis d'y venir.

Une des choses qui m'a le plus frappé en arrivant, c'est l'étendue de l'esclavage. En Caroline du Sud, 68 p. cent de la population étaient des esclaves ; en Virginie, 50 p. cent. On n'en trouvait pas seulement chez les riches planteurs ; presque tous les piliers de la société en avaient aussi, même certains de mes illustres collègues de la révolution. Washington et Jefferson, pour ne nommer que ceux-là avaient des esclaves sur leurs terres.

Cléopâtre — Et pourquoi pas ?

Paine — Parce que si l'indépendance et la liberté étaient souhaitables pour l'humanité, elles l'étaient tout autant pour les esclaves noirs qui en faisaient partie.

Cléopâtre — Ah ! de beaux principes ! Voyez ce que Washington et Jefferson en ont fait !

Mercier — C'est justement pourquoi il ne faut jamais juger les hommes d'après leurs principes mais d'après l'influence que ces principes ont sur leur conduite !

E. Fruitier — Mais on peut les juger aussi d'après leurs œuvres et, tout à l'heure, monsieur le premier ministre, nous avons à peine ébauché le début de votre carrière. Parmi les choses que vous avez accomplies, on parle souvent du règlement de l'affaire des biens des jésuites ; comment avez-vous résolu ce problème ?

Mercier — Ce n'est pas ce dont je m'enorgueillis le plus mais le problème traînait depuis longtemps et c'est pourquoi on a vanté mon règlement outre mesure. Il faut d'abord dire que tout a commencé quand le pape Clément XIV a supprimé l'ordre des jésuites en 1773.

Paine — Voilà un pape qui faisait bien les choses !

Mercier — Les jésuites se l'étaient attiré par leurs intrigues politiques, mais leurs qualités d'enseignants ont été reconnues plus tard par le pape Pie VII qui rétablit l'ordre en 1814.

Paine — Voilà un pape qui ne faisait pas bien les choses !

Mercier — Entre-temps, le roi Georges III d'Angleterre avait confisqué leurs biens en vertu de la conquête du Canada, ce qui était une spoliation pure et simple.

Paine — Je l'ai violemment combattu, ce tyran — mort fou, soit dit en passant — mais dans ce cas-là, je ne le condamne pas complètement.

E. Fruitier — Pourquoi?

Paine — Parce que j'ai toujours détesté l'hypocrisie de ces ordres religieux qui se disent pauvres et qui s'enrichissent aux dépens des naïfs qui gobent tous leurs contes de fée.

Mercier — Allons donc, citoyen Paine, les rois n'ont pas plus le droit de voler que les particuliers et l'on n'a pas plus raison de prendre le bien d'un jésuite que celui d'un quaker! J'ai rendu aux jésuites des biens dont ils avaient été dépouillés par le même Georges III qui voulait vous dépouiller de vos droits et de vos libertés. *(Il reprend son histoire)* Lors de la Confédération, les biens avaient été confiés à la garde du gouvernement fédéral qui les avait subséquemment remis au gouvernement provincial. Diverses factions tiraient, chacune de son côté, pour se faire redonner ces biens: l'Université Laval de Québec, les jésuites eux-mêmes et le cardinal archevêque de Québec qui se prétendait le seul habilité par l'Église à négocier cette affaire et à recevoir les fameux biens. Dès mon élection comme premier ministre en 1887, j'ai décidé de régler ce problème et de rendre justice aux jésuites.

D'Aquin — Vous aviez beaucoup d'égards pour les jésuites, monsieur Mercier.

Mercier — Je leur ai toujours été très reconnaissant de m'avoir enseigné *votre* phisosophie, mon père, durant les études que j'ai faites chez eux! Il fallait un stratagème pour éviter de me mettre à dos tous ceux qui espéraient recevoir tout ou partie de ces biens, tout en protégeant la province de toute réclamation ultérieure par d'autres représentants de l'Église.

E. Fruitier — Et qu'est-ce que vous avez trouvé comme stratagème?

Mercier — Le pape! J'ai négocié avec les jésuites, mais j'ai exigé que le pape ratifie la convention et qu'il décide lui-même de la manière de partager les quatre cent mille dollars convenus, pourvu, bien sûr, que toute la somme reste dans la province. Enfin, pour faire taire les protestants qui me traitaient de papiste, j'ai inscrit une clause spécifiant qu'à l'occasion du règlement, la minorité protestante recevrait, pour ses œuvres éducatives, une allocation proportionnée à son importance numérique. Cette allocation s'est élevée à soixante mille dollars.

Paine — *(Tout réjoui)* C'est donc avec la bénédiction du pape que vous avez donné soixante mille dollars aux protestants! Vous êtes très futé, monsieur Mercier!

Mercier — Merci. Ni les catholiques, ni les protestants ne pouvaient rouspéter, les diverses factions ne pouvaient pas m'accuser de favoritisme et le problème était réglé.

E. Fruitier — Les protestants, vous les avez achetés!

Mercier — Mais pas du tout! En bon gouvernement, nous avons participé à leur éducation.

E. Fruitier — Vous nous avez dit plus tôt que ce n'était pas là votre plus grand titre de gloire; quel est-il donc?

Mercier — C'est d'avoir contribué à l'implantation de l'école obligatoire, monsieur Fruitier; parce que l'ignorance c'est la misère; l'instruction, la fortune; l'ignorance c'est l'esclavage; l'instruction, la liberté. La mère doit son lait à l'enfant qu'elle a mis au monde, le père lui doit le pain, la société lui doit l'instruction.

D'Aquin — On dirait un discours, monsieur le premier ministre!

Mercier — C'en est un, mon père, c'en est un que j'ai souvent répété et que je veux, que je dois répéter encore aujourd'hui à l'auditoire de monsieur Fruitier qui a besoin de l'entendre. J'ai appris que les jeunes d'aujourd'hui abandonnent prématurément leurs études, qu'ils deviennent ce que vous appelez au Canada *français* des... « drop-outs ».

(Il se lève et se lance vraiment dans un discours) Eh bien, je veux leur dire que la démocratie est en danger quand l'électeur ne comprend pas ses droits et ne sait pas remplir ses devoirs avec intelligence car l'électeur peut être égaré, entraîné, perdu par un préjugé, par une question secondaire, par la passion. Instruit, le peuple juge les actes des hommes politiques dont il est le maître; ignorant, il exécute les volontés de ces mêmes hommes dont il n'est que l'esclave. La tyrannie préfère l'ignorance, la liberté préfère l'instruction et c'est pour cela que vous verrez les gouvernements absolus s'opposer à la diffusion des connaissances au sein des masses et les gouvernements populaires chercher, au contraire, à y répandre les lumières qui seules peuvent consolider les institutions démocratiques. *(Il s'assoit)*

Cléopâtre — Vous vouliez faire instruire tout le monde, même le peuple, même les pauvres, même les esclaves si vous en aviez eus?

Mercier — Oui, majesté; il y aura toujours assez d'hommes de profession mais il n'y aura jamais assez d'ouvriers et de cultivateurs instruits. Les riches pourront toujours envoyer leurs enfants aux universités tandis que les pauvres ne pourront envoyer les leurs aux écoles que si nous les aidons.

Honoré Mercier *(Albert Millaire)*

Cléopâtre — Vraiment, c'est le monde à l'envers! Évidemment, venant de quelqu'un qui se vante d'être fils de prisonnier!

Paine — Comme je me vante d'avoir été prisonnier moi-même.

Cléopâtre — Dans quelle galère me suis-je laissé embarquer! Entre deux prisonniers!

E. Fruitier — *(Il intervient précipitamment)* Majesté, messieurs, je vois que nous avons encore bien des choses à discuter mais c'est malheureusement tout le temps dont nous disposons. J'espère donc que vous pourrez vous joindre à nous lors de la prochaine émission que nous puissions continuer cette conversation.

À ceux qui regardent certaines émissions de télévision pour voir des invités de marque, des grands noms, nous espérons en avoir mis plein les yeux! Dans le même esprit, durant les prochains programmes de cette série, vous aurez l'occasion de rencontrer, entre autres: Galilée, Darwin, Voltaire, Karl Marx, Marie-Antoinette reine de France et Attila roi des Huns.

Mais d'ici là, ne manquez pas notre prochaine émission alors qu'Honoré Mercier nous racontera comment il a presque doublé la superficie du Québec et nous parlera de la visite du Général de Gaulle à Montréal, que Thomas Paine en viendra aux prises avec Thomas d'Aquin sur la religion, la peine de mort et les enseignements de Jésus et que Cléopâtre nous révélera des choses inimaginables sur l'esclavage.

1

deuxième partie

E. Fruitier — Bonsoir. Ceux d'entre vous qui ont assisté la semaine dernière aux vives discussions de nos quatre invités doivent avoir aussi hâte que moi de les entendre ce soir. Je m'empresse donc de les présenter à ceux qui n'auraient pas vu notre émission précédente. Thomas Paine, citoyen du monde, écrivain, activiste, il a participé à la révolution américaine et à la révolution française. Sa Majesté Cléopâtre est devenue reine d'Égypte à 18 ans. Sa beauté et son intelligence sont légendaires mais en découvrant son impétuosité la semaine dernière, j'ai compris pourquoi Astérix et ses Gaulois trouvaient qu'elle avait mauvais caractère.

Cléopâtre — *(Impatiente)* Ah, non! Pas encore ces petits bonshommes! Et puis je n'ai *pas* mauvais caractère!

Paine — *(Malin)* La preuve!

(Elle le foudroie du regard)

E. Fruitier — J'ai bien peur d'avoir dit un mot de trop.

Cléopâtre — En effet, monsieur Fruitier, et si c'est le ton que vous voulez donner à notre rencontre, j'insiste pour avoir la parole dès que vous aurez terminé vos présentations. J'aurai quelques mots à vous dire, à vous et à monsieur Mercier.

E. Fruitier — C'est promis, Majesté. *(À la caméra)* J'aurais dû me souvenir que nos invités n'ont pas besoin de moi pour mettre le feu aux poudres... Enfin... continuons: Honoré Mercier, premier ministre de la province de Québec, patriote, propagateur de l'instruction et, comme nous avons pu le constater, brillant orateur. *(Mercier se lève et remercie la foule)* Enfin, Thomas d'Aquin, philosophe et théologien; il a combattu l'hérésie et sa philosophie est devenue la philosophie officielle de l'Église catholique en 1879.

41

D'Aquin — Monsieur Fruitier, c'est avec regret que j'ai appris que mes propos de la semaine dernière ont exaspéré plusieurs de vos téléspectatrices.

Paine — Vous avez bien tort de le regretter, mon cher d'Aquin, vous les avez mises en fureur, je les ai stimulées, nous avons fait travailler leur cerveau, amen!

Mercier — Vous avez raison monsieur Paine. On constate aujourd'hui que plusieurs étudiants d'universités ne peuvent ni lire ni écrire aussi bien qu'ils le devraient. J'ai le sentiment qu'ils ne doivent donc pas... penser adéquatement. Si nous avons pu les faire penser, je trouverai que cela a valu la peine de revenir de si loin! Et pendant que je suis encore ici, je voudrais bien demander à sa majesté comment elle a rencontré Marc-Antoine.

Cléopâtre — Cela peut attendre, monsieur le premier ministre. J'ai des choses à vous dire et ce n'est pas en faisant appel à mes sentiments que vous me ferez taire!

Mercier — Mais, telle n'était pas mon intention Majesté...

Cléopâtre — Monsieur Fruitier, monsieur le premier ministre, vous avez poussé des cris quand j'ai parlé d'esclavage la semaine dernière, vous avez versé des larmes sur le sort des pauvres esclaves. Eh bien, comme on disait en Égypte dans mon temps, c'étaient des larmes de crocodile! Monsieur le premier ministre, vous avez fait une sortie contre le monde païen où il y avait deux classes distinctes: l'homme libre et l'esclave. Or, j'ai appris depuis, que le monde de *vos* ancêtres canadiens-français était aussi païen que le mien et qu'il avait *lui aussi* ses esclaves.

E. Fruitier — Mais il n'y a jamais eu d'esclaves au Canada!

Cléopâtre — Oui messieurs, il y a eu des esclaves au Canada.

E. Fruitier — *(N'en croyant pas ses oreilles)* Des esclaves au Canada! Il doit s'agir de quelques cas isolés!

Cléopâtre — Pas du tout monsieur Fruitier: il y en avait à Montréal, à Québec, à Trois-Rivière, à Détroit, qui faisait partie du Canada à ce moment-là, et même dans les campagnes.

Paine — Mais les Canadiens n'avaient pas de grandes plantations comme les Américains, à quoi donc servaient leurs esclaves?

Cléopâtre — Il y avait d'abord les esclaves indiens qui étaient domestiques ou canotiers, puis les noirs qui travaillaient pour les marchands ou à des métiers divers: coiffeurs, cuisiniers, presseurs d'imprimerie et même bourreaux.

Mercier — On devait donc les trouver surtout chez les marchands, dans la bourgeoisie et sur quelques fermes?

Cléopâtre — Pensez-vous? Louis Jolliet, votre célèbre découvreur en a reçus en cadeau et les a acceptés. Les voyages de la Vérendrye, dans l'ouest canadien avaient d'autres buts que les découvertes et le service du roi. Il ramenait de ses expéditions de nombreux esclaves qu'il vendait sur la place du marché à Montréal. Des députés, des juges, des intendants et au moins cinq de vos gouverneurs en ont eus!

D'Aquin — Quelle pratique déplorable que l'esclavage qui fait d'un être humain un bien, une chose qui appartient à un autre être humain au lieu d'appartenir à Dieu. L'Église a toujours fait son possible pour enrayer cette plaie.

Cléopâtre — Vos enseignements à cet effet auraient dû être plus précis mon père car ils n'ont pas beaucoup éclairé le clergé canadien-français.

D'Aquin — Que voulez-vous dire?

Cléopâtre — Que le clergé non seulement fermait les yeux sur l'esclavage mais en profitait lui-même.

Paine — Encore une occasion où l'Église a fait le contraire de ce qu'elle enseignait: « Fais comme je te dis et non comme je fais! »

D'Aquin — Ne généralisons pas avant de connaître les faits monsieur Paine; il s'agit probablement de quelques cas d'exception, n'est-ce pas, Majesté?

Cléopâtre — Ne comptez surtout pas là-dessus pour échapper au sarcasme de monsieur Paine, mon père: trois évêques canadiens-français ont eu des esclaves, les récollets et les jésuites en ont eu une quarantaine, un curé en a eu cinq et la « vénérable » mère d'Youville a reçu les siens en héritage de son mari.

Mercier — Comment étaient-ils traités?

Cléopâtre — Il semble qu'ils étaient convenablement logés et nourris, comme les nôtres l'étaient. Toutefois, vos ancêtres n'avaient pas de pitié pour les fugitifs: à la première fuite, on leur coupait les oreilles et on les marquait au fer rouge d'une fleur de lys sur l'épaule; à la deuxième, on leur coupait le jarret et à la troisième, on les exécutait.

Paine — Un autre bienfait des missionnaires papistes qui étaient venus porter le christianisme et la civilisation à ceux qu'ils appelaient les... « sauvages »!

D'Aquin — Vous vous défendez d'être athée monsieur Paine mais tout ce dont vous faites preuve, c'est de mauvaise foi.

E. Fruitier — Combien de temps cela a-t-il duré, Majesté?

Cléopâtre *(Andrée Lachapelle)*

Cléopâtre — Durant tout le XVIIIᵉ siècle et jusqu'en 1837 alors qu'une loi anglaise a aboli l'esclavage dans tout l'empire britannique.

E. Fruitier — Savez-vous combien il y en a eu?

Cléopâtre — Environ trois mille six cents dont à peu près le tiers étaient des noirs et le reste des indiens.

Mercier — C'est vraiment une révélation pour moi, je n'aurais jamais imaginé que...

Cléopâtre — Mais votre ignorance est justifiée, monsieur Mercier. D'abord, tout cela est arrivé avant votre temps, et puis jusqu'à récemment, les historiens canadiens avaient choisi de cacher ces faits dont ils n'étaient pas tellement fiers. Quant aux gens d'aujourd'hui, ils n'ont aucune excuse puisqu'un de leurs historiens contemporains, monsieur Marcel Trudel, a eu le courage de se pencher sur ce problème et de l'exposer dans un livre intitulé: « L'esclavage au Canada français ». Je vous recommande de le lire, vous y apprendrez bien d'autres choses étonnantes à ce sujet. En attendant, essayez de vous souvenir que ce n'est pas prudent de lancer des pierres à autrui quand on habite une maison de verre!

E. Fruitier — Majesté, les gladiateurs romains de votre époque apprenaient leur métier *dans* l'arène; je pourrai dire que j'ai beaucoup appris de la reine!

Mercier — Alors, Majesté, l'histoire de Marc Antoine???

E. Fruitier — Avant d'y arriver, monsieur le premier ministre, je voudrais vous demander quelque chose: la semaine dernière, vous avez fait un brillant plaidoyer pour l'instruction; durant votre carrière, qu'avez-vous fait vous-même pour la promouvoir?

Mercier — Oh, la liste est bien longue, monsieur, mais je vais essayer de vous en résumer les points les plus significatifs. J'ai d'abord obtenu qu'on instaure l'instruction obligatoire, c'était le point de départ.

E. Fruitier — Vous voulez dire qu'avant vous, les enfants n'étaient pas obligés d'aller à l'école?

Mercier — Exactement. Il n'y a pas cent ans, l'instruction était encore laissée au gré des parents et la proportion d'analphabètes était effarante dans la province de Québec. Plus tard, j'ai institué les écoles normales qui nous ont permis d'avoir des instituteurs adéquatement préparés à leur si importante vocation.

E. Fruitier — Il ne faudrait quand même pas exagérer; les instituteurs ne s'occupent que du cours primaire.

45

Mercier — *Tous* les enseignants exercent la profession la plus importante qui soit et portent une responsabilité extrêmement lourde. C'est à eux que nous confions notre bien le plus précieux: nos enfants. Nous leur demandons de former l'esprit et le cœur de ces petits êtres qui constitueront la prochaine génération. Le peuple de demain est sculpté par les enseignants d'aujourd'hui.

E. Fruitier — Vous avez raison, monsieur le premier ministre, c'est une vérité que nous oublions trop facilement.

Mercier — Ces deux problèmes réglés, il fallait penser aux travailleurs qui voulaient parfaire leur éducation et améliorer leur sort. À cette fin, j'ai institué les cours du soir, pour les hommes *et* pour les femmes. Finalement, j'ai fondé les écoles techniques pour ouvrir de nouvelles carrières à nos jeunes gens et les guérir de l'amour excessif qu'ils avaient pour les professions dites libérales. J'ai voulu produire des chefs d'atelier, des contremaîtres, des mécaniciens, enfin des ouvriers capables de guider les pas encore chancelants de notre industrie naissante.

E. Fruitier — Auréolé de la « Merciermanie » comme vous l'étiez, le choix d'une compagne a dû être facile pour vous.

Mercier — Oh, je n'ai pas attendu si longtemps pour faire le grand saut, euh... S-A-U-T; je me suis marié peu après la fin de mes études. Mais, deux ans plus tard, ma femme est morte à la suite de la naissance de notre premier enfant, la petite Élisa qui est devenue plus tard madame Lomer Gouin.

E. Fruitier — Elle a donc été fille et épouse de premier ministre!

Mercier — C'est exact. Trois ans après la mort de ma première femme, j'ai de nouveau contracté mariage et cinq enfants sont nés de cette union.

E. Fruitier — Vous avez donc fait votre part pour accroître la population de la province de Québec mais vous avez aussi contribué à agrandir son territoire; parlez-nous donc de cette affaire.

Mercier — Lors de la confédération, le gouvernement fédéral s'était emparé d'un immense espace qui avait toujours fait partie du Québec, un territoire de cent seize mille milles carrés, ou comme vous dites aujourd'hui, selon le système métrique, de trois cent mille kilomètres carrés.

E. Fruitier — C'est toujours difficile d'imaginer ce que représentent de si grandes surfaces; pouvez-vous faire une comparaison qui nous aiderait à en saisir l'importance?

Mercier — Bien sûr: c'est une superficie qui pourrait contenir la Belgique, la Suisse, les Pays-Bas, le Portugal, l'Écosse et la Sardaigne.

E. Fruitier — C'est énorme!

Mercier — Oui, c'était presque aussi grand que la superficie totale qui restait à la province à ce moment-là. J'ai d'abord soulevé la question lors de la première conférence interprovinciale que j'avais convoquée à Québec en octobre 1887, vingt ans après la confédération.

Cléopâtre — Pourquoi convoquer une conférence interprovinciale?

Paine — Sans doute pour réviser la constitution comme nous l'avons fait aux États-Unis douze ans après l'indépendance. L'application d'une constitution et l'évolution de la civilisation nous font découvrir, dans ladite constitution, des failles qu'il vaut mieux colmater avant qu'elles ne deviennent sérieuses.

Mercier — C'est juste et je crois que, dans le cas du Canada, des conférences interprovinciales ou fédérales-provinciales sont un moyen plus efficace et moins onéreux d'amender la constitution que le recours aux tribunaux.

E. Fruitier — Avez-vous eu de la difficulté à l'organiser cette conférence et comment s'est-elle passée?

Mercier — Le premier ministre fédéral d'alors, Sir John A. Mac-Donald, avait refusé d'y assister et avait même réussi à intercepter, à Ottawa, le premier ministre de la Colombie britannique qui était en route vers Québec. Cependant, cinq des sept provinces que comptait alors le Canada y ont participé et réaffirmé avec insistance le principe de l'autonomie provinciale.

Cléopâtre — Et nous voici rendus bien loin de l'extension du territoire qui me paraît autrement importante que cette autonomie dont vous ne cessez de parler.

Mercier — Parce qu'elle est très importante: ce que nous respections c'était l'autonomie et la souveraineté du peuple et non pas celles des pharaons ou des rois. Et puisque l'extension des limites du Québec vous intéresse tellement, Majesté, je m'empresse de souligner que ce n'est pas par la guerre ni par les assassinats que nous avons recouvré ce territoire mais par des négociations.

D'Aquin — Ah, si toutes les querelles internationales pouvaient se régler ainsi, que de vies humaines seraient épargnées et comme l'humanité pourrait bénéficier des vies, des énergies et des biens gaspillés à la guerre.

E. Fruitier — Donc, monsieur Mercier vous avez commencé à réclamer cet immense territoire lors de la conférence interprovinciale de 1887. Et puis ensuite?

Mercier — Ensuite, ce fut long et pénible: le fédéral n'admettait pas nos prétentions mais, à force de pression et de négociations, nous avons obtenu ce que nous voulions.

E. Fruitier — Vous avez gagné!

Mercier — Non, pas moi. Les pourparlers ont duré, hélas, plus longtemps que moi et ce sont mes successeurs, monsieur Marchand, puis Sir Lomer Gouin, mon gendre, qui ont ratifié avec le gouvernement fédéral de Sir Wilfrid Laurier, des ententes qui ont donné au Québec, avec l'annexion de l'Ungava en 1908, le territoire le plus vaste de toutes les provinces de la confédération.

D'Aquin — Monsieur le premier ministre, vos démarches n'étaient-elles pas colonialistes ou expansionnistes?

Mercier — Pas du tout, mon père! Tout ce qui a constitué la Nouvelle-France avant la conquête appartient à la province de Québec, excepté ce qui a été cédé par des traités ou des statuts impériaux dans le temps ou par des lois fédérales depuis la confédération. J'ai voulu récupérer des territoires usurpés et redonner au Québec le rang supérieur qu'il méritait en tant que plus ancienne province du Canada.

Cléopâtre — Monsieur le premier ministre?

Mercier — Oui Majesté?

Cléopâtre — Pourquoi vous défendez-vous si ardemment? En quoi le colonialisme est-il si mauvais? Il n'y a pas d'égalité en ce monde, pas plus entre les hommes qu'entre les nations et le bon sens suffit pour comprendre que les forts doivent mener les faibles.

Mercier — Dans votre temps la raison du plus fort était la meilleure et même plus tard, plusieurs nations européennes ont conquis d'immenses territoires dans d'autres parties du monde, mais nous en Amérique du nord ne croyons pas que...

Cléopâtre — Un instant monsieur! Monsieur Paine, de quoi était fait votre pays à l'origine?

Paine — Mais... de treize petites colonies.

Cléopâtre — *(Pour Mercier)* En Amérique du nord. *(À Paine)* Et depuis vous avez, par des actes belliqueux ou pacifiques, peu importe, annexé des territoires qui appartenaient à la France, à l'Espagne, au Mexique, à l'Angleterre et à la Russie, n'est-ce pas?

Paine — Oui, c'est juste.

Cléopâtre — Vous vous êtes bâti un immense empire, soyez en fier et je vous dis bravo, de même qu'à monsieur Mercier qui a eu la prévoyance d'annexer à sa province des territoires qui s'avèrent aujourd'hui fort riches en ressources minérales et hydrauliques, entre autres.

D'Aquin — Là n'est pas la question, Majesté; le problème se situe au niveau de la liberté des peuples, du droit à l'autodétermination. Monsieur Mercier, avez-vous demandé aux Amérindiens et aux Inuit s'ils consentaient à faire partie du Québec?

Mercier — Évidemment pas puisque c'était déjà...

Cléopâtre — Vous n'aviez pas à le faire, monsieur Mercier: votre peuple vous supportait, il était fier de vous et de votre projet comme mon peuple était fier de l'empire égyptien !

D'Aquin — Mais les autochtones, eux, ne devaient pas être très heureux.

Cléopâtre — Le colonialisme n'a jamais été populaire chez les peuples conquis, mon père, mais il a quand même apporté la civilisation aux sauvages et aux tribus ignorantes.

D'Aquin — Civilisation? Vous venez de souligner à ces messieurs que leurs ancêtres avaient asservi les Amérindiens et aujourd'hui encore on inonde leurs territoires pour construire des barrages.

E. Fruitier — Le gouvernement les a grassement dédommagés, mon père, et avec cet argent, les Inuit se sont déjà dotés d'un réseau de télévision et ont fait l'acquisition d'une ligne aérienne !

D'Aquin — La survie d'un peuple et de sa culture ne se monnaie pas, monsieur Fruitier !

Paine — Père d'Aquin, je vois qu'en dehors de la religion, vous et moi pourrions peut-être nous entendre !!!

E. Fruitier — Voilà une trève inespérée ! Monsieur le premier ministre, on dit que vous étiez un ennemi des grandes compagnies de votre temps, ces ancêtres des multinationales d'aujourd'hui.

Mercier — C'est de la calomnie, monsieur Fruitier. Je n'étais pas contre les grandes compagnies mais contre certains individus qui les utilisaient à des fins purement égoïstes.

E. Fruitier — Mais vous avez institué la taxe sur les grandes entreprises !

Mercier — Bien sûr ! Elles doivent payer leur part de taxe au même titre que les simples contribuables. De plus, il fallait que le gouvernement puisse contrôler leurs activités et s'assurer qu'elles ne les exercent qu'en fonction du bien public.

Cléopâtre — Vous êtes versatile comme une girouette, monsieur le premier ministre. Vous ne cessez de prêcher la liberté et maintenant vous dictez aux gens ce qu'ils doivent faire de leurs biens.

Mercier — Prévenir les abus des grandes compagnies ne porte pas plus atteinte à la liberté qu'enrayer la violence ou le crime, à condition bien sûr de respecter les justes droits de propriété. Ce qui importe par-dessus tout, c'est de respecter les droits de l'homme. Si l'on n'exerce pas un minimum de contrôle sur ces compagnies, ce sont elles qui contrôleront complètement le gouvernement. Et maintenant, monsieur Fruitier, j'insiste pour que sa majesté nous raconte son... ses... sa relation avec Marc-Antoine !

E. Fruitier — Très bien. Vous n'avez pas d'objection à entendre les détails, mon père ?

D'Aquin — Pas du tout. Sa majesté a quitté ce monde quelques années avant que Jésus-Christ ne donne son message à l'univers et elle ne connaissait même pas l'Ancien Testament. On ne peut donc pas lui demander d'avoir respecté des règles qui, pour elle, n'existaient pas.

Paine — Et n'oubliez pas, d'Aquin, que sa conduite ne fut pas plus mauvaise que celle de nombreuses générations de rois qui n'étaient chrétiens que de nom et dont la vie n'avait rien de très... catholique !

E. Fruitier — Eh bien, Majesté, quand avez-vous connu Marc-Antoine ?

Cléopâtre — J'étais très jeune quand je le vis la première fois alors que je vivais à Rome avec César. Après la mort de César, il y eut une lutte terrible entre deux groupes qui se disputaient sa succession. L'un des deux appuyait Octavien, petit-neveu de César et son héritier légal. L'autre supportait Marc-Antoine, le puissant général. Devant la jeunesse et la faiblesse d'Octavien, Marc-Antoine refusa d'abandonner les pouvoirs qu'il s'était lui-même attribués.

Mercier — Comment était Marc-Antoine ?

Cléopâtre — Ah ! Quel homme ! Beau... et grand comme un Hercule ! Quand il est venu me rencontrer à Tarsus...

D'Aquin — Ah oui, Tarsus, la patrie de saint Paul !

Cléopâtre — Quand il est venu me rejoindre à Tarsus, je suis arrivée dans la plus luxueuse de mes galères avec ses voiles pourpres et ses rames argentées. Et puis, nous nous sommes rencontrés et puis...

E. Fruitier — ... et puis vous êtes tombés amoureux l'un de l'autre ?

Cléopâtre — Il a... disons qu'il a oublié ses campagnes militaires et décidé de passer l'hiver avec moi à Alexandrie.

Mercier — Quelle sorte de ville était Alexandrie, Majesté?

Cléopâtre — C'était la ville la plus excitante du monde ancien. C'était vos Paris, New York, Rome, San Francisco et Venise en une seule ville! Le printemps suivant, il dut retourner à ses devoirs ce n'est que quatre ans plus tard que je le revis et qu'il rencontra les jumeaux pour la première fois...

E. Fruitier — Les jumeaux?

Cléopâtre — Oui, le fils et la fille que je lui avais donnés. Nous avons appelé le fils Alexandre, en l'honneur du soleil et la fille Cléopâtre, en l'honneur de la lune.

E. Fruitier — Et vous avez été la dernière femme d'Antoine?

Cléopâtre — Oh non! Après moi, il a épousé Octavie, la sœur d'Octavien avec lequel il s'était réconcilié.

E. Fruitier — Est-ce que cela vous a rendue jalouse?

Cléopâtre — Pas du tout parce que c'était un mariage motivé par des raisons politiques. C'était toujours moi qu'il aimait. Lorsqu'il m'est revenu, il m'a fait part de son plan de conquérir la Parthie. C'est avec plaisir que je lui ai fourni l'or et les vivres dont il avait besoin et que je l'ai accompagné jusqu'aux rives de l'Euphrate.

Mercier — Cette campagne a été désastreuse n'est-ce pas?

Cléopâtre — Oui. Et à compter de ce moment-là, tout est allé de mal en pis. Octavien rompit avec Antoine, mena une cabale contre moi et fit ouvrir et lire publiquement un codicille par lequel Antoine mettait mes enfants au nombre de ses héritiers. Furieux, Antoine divorça d'avec Octavie, ce qui lui fit perdre de nombreux amis à Rome. Enfin, Octavien convainquit le sénat de me déclarer la guerre.

E. Fruitier — Comment Antoine a-t-il réagi à cela?

Cléopâtre — Il n'avait pas d'autre choix que de me défendre contre les forces romaines et c'est ce qui devait nous perdre. Les désastres se succédèrent et, sentant qu'il était vaincu, j'envoyai un messager lui faire part de mon intention de m'enlever la vie. Il comprit que je m'étais déjà suicidée et il se transperça de sa propre épée.

E. Fruitier — Quelle mort affreuse pour ce grand homme!

Cléopâtre — Non, non, il n'est pas mort sur le coup et quand il apprit que je vivais encore, il insista pour se faire transporter jusqu'à moi, ce qui fut fait. Quelques minutes après son arrivée à Alexandrie, il mourut dans mes bras.

E. Fruitier — Vous vous êtes donc retrouvée seule dans votre pays conquis ; qu'avez-vous fait, que vous est-il arrivé ?

Cléopâtre — Entré dans Alexandrie, Octavien s'est engagé à me traiter en reine et en déesse que j'étais, mais je savais qu'il mentait et qu'en fait, il voulait me ramener à Rome et m'y exhiber en tant que captive.

E. Fruitier — Ah non, pas vous Majesté !

Cléopâtre — Pas moi, en effet !

E. Fruitier — Alors ?

Cléopâtre — D'abord, j'ai obtenu la permission d'aller sur la tombe d'Antoine. J'ai embrassé la froide plaque de marbre qui le recouvrait et j'ai pleuré la perte de cet homme que j'avais tant aimé. De retour à mon palais, j'ai mis mes plus beaux vêtements, j'ai ordonné qu'on décore mes appartements comme pour une grande fête et j'ai mis fin à mes jours en me laissant piquer par un serpent venimeux.

E. Fruitier — Vous aviez déjoué les plans d'Octavien.

Cléopâtre — Oui, mais je dois dire qu'il a fait preuve d'une certaine grandeur d'âme.

E. Fruitier — Comment cela ?

Cléopatre — Il a permis que je sois ensevelie à côté d'Antoine et que soit achevé le tombeau que nous avions commencé à nous faire construire.

Mercier — Que sont devenus vos enfants, Majesté ?

Cléopâtre — Les jumeaux que j'avais eus d'Antoine ont été ramenés à Rome et élevés par Octavie ; ils ont eu le sort qui convenait à leur origine.

E. Fruitier — À la place d'Octavie, Majesté, auriez-vous été aussi magnanime ?

Cléopâtre — Absolument pas.

Paine — Et Césarion, le fils que vous aviez eu de César ?

Cléopâtre — Son précepteur, Théodore, que j'avais chargé de conduire Césarion en Inde, le livra à Octavien qui le fit exécuter. Ce fut une grande tragédie qui m'a été épargnée, grâce à ma mort. Cet enfant était le dernier des Ptolémées à pouvoir régner sur l'Égypte, c'était le seul fils que César ait jamais eu. Octavien avait enfin triomphé et il régna seul sur Rome sous le nom de César Auguste.

E. Fruitier — Merci, Majesté. Monsieur Paine, lors de votre passage ici la semaine dernière, vous aviez commencé à nous parler des causes de la révolution américaine. Les hasards de la conversation nous ont éloignés de ce sujet, si nous y revenions.

Paine — Un des aspects du problème venait de la spéculation sur les terrains.

E. Fruitier — Comment cela?

Paine — En espérant contrôler le nombre de colons et l'expansion des colonies, le roi Georges III proclama en 1763 que les colons ne pouvaient plus acheter, ni s'installer sur les terres comprises entre les Alleghanys et le Mississippi à partir du Canada jusqu'en Floride.

E. Fruitier — Est-ce que les colons ont respecté cette proclamation?

Paine — Au contraire, plus de trente mille d'entre eux ont traversé les Alleghanys et pris possession d'autant de terres qu'ils pouvaient contrôler. Plusieurs de mes collègues ont même fondé des compagnies immobilières.

E. Fruitier — Dans quel but?

Paine — Pour vendre des terrains aux immigrants! Vous voyez que ce n'est pas d'hier que les Américains sont des spécialistes de l'immobilier! Puis, les choses se sont envenimées.

E. Fruitier — Est-ce que les taxes n'y étaient pas pour quelque chose?

Paine — En effet. La guerre de Sept Ans contre la France, l'Autriche et l'Espagne, entre autres, avait coûté très cher à l'Angleterre et les dépenses encourues pour administrer et maintenir ses possessions en Amérique étaient très élevées. Pour payer *ses* dettes, l'Angleterre *nous* a imposé des taxes sur toutes sortes de choses: le papier, le thé, le plomb, le sucre, etc.

E. Fruitier — Je suppose que vous n'aimiez pas plus les taxes que nous!

Paine — Certainement pas, mais nous détestions encore plus les douaniers fouineurs qui employaient des méthodes inadmissibles pour s'assurer que les taxes étaient perçues.

E. Fruitier — Et quand, précisément, eurent lieu les premières émeutes?

Paine — En 1768 quand une foule attaqua les douaniers britanniques qui tentaient de percevoir les taxes sur une cargaison de John Hancock dont le bateau s'appelait, ironiquement ou symboliquement comme vous voudrez, le « Liberty ».

E. Fruitier — Et comment les Anglais ont-ils répondu?

Paine — Par la bouche de leurs mousquets, comme aurait dit votre gouverneur Frontenac! En augmentant leurs troupes et en prenant des mesures répressives; c'était le « Law and order » avant la lettre.

53

Cléopâtre — Exactement ce que j'aurais fait!

Paine — Puis en mars 1770, quelques Américains ont lancé des balles de neige à des « vestes rouges » comme on surnommait les soldats anglais. Ceux-ci ont rétorqué en ouvrant le feu sur les attaquants.

Cléopâtre — Très bien!

Paine — Au contraire, Majesté: quatre Bostonnais sont morts pour des balles de neige! Il n'y a pas eu d'autres soulèvements jusqu'au Boston Tea Party en 1773.

E. Fruitier — Ah oui, la fameuse partie de thé de Boston. Comment a-t-elle commencé!

Paine — Par une dispute de commerçants. Le parlement britannique avait donné à la Compagnie des Indes le monopole du commerce du thé en Amérique. Naturellement, les marchands américains n'étaient pas enchantés. D'autant moins que cette compagnie n'employait pas d'agents locaux de sorte que les Américains ne touchaient même pas de commissions sur les ventes. En décembre, trois navires chargés de thé arrivèrent à Boston; des citoyens les envahirent et jetèrent leurs cargaisons par-dessus bord, dans le port de Boston.

E. Fruitier — Et c'est alors que les poissons se sont plaints que ça manquait de biscuits!! Sérieusement, monsieur Paine, comment les Anglais ont-ils réagi?

Paine — Exagérément comme d'habitude! Pour nous punir, ils ont adopté une série de mesures coercitives que nous avons appelées The Intolerable Acts, les « Actes intolérables ». L'Angleterre a:
— fermé le port de Boston
— supprimé le gouvernement responsable au Massachusetts
— remis en vigueur la loi de 1765 qui permettait à l'armée de loger ses troupes dans les maisons des colons américains
— enlevé aux tribunaux de la colonie le droit de juger les rebelles qui ont dû subir leur procès en Angleterre

Cléopâtre — J'espère bien!

Paine — *(Ennuyé, il hausse légèrement la voix)*
— voté l'intolérable Acte de Québec qui redonnait au Canada tout le territoire de l'ex-Nouvelle-France dans la région des Grands Lacs, jusqu'au confluent de la rivière Ohio et du fleuve Mississippi. Cela devait, paraît-il, mettre un terme aux querelles entre la Pennsylvanie et la Virginie au sujet de ces territoires. De plus, cet acte inique refusait aux Canadiens une chambre d'assemblée, donnant ainsi au gouverneur le pouvoir absolu de dis-

poser des troupes canadiennes comme il l'entendait et nous avions appris à nos dépens que les soldats canadiens étaient redoutables.

E. Fruitier — Ces mesures ont-elles écrasé les colons?

Paine — Absolument pas! C'est en grande partie en réaction contre l'Acte de Québec que la Virginie a convoqué le « Premier Congrès Général des Colonies » à Philadelphie en septembre 1774.

Mercier — Monsieur Paine, la révolution américaine était à la base une affaire entre les colonies américaines et l'Angleterre mais le Canada y a joué un rôle prépondérant.

Paine — Prépondérant, c'est un bien grand mot!

Mercier — Nous verrons bien! Mais d'abord, vous avez omis certaines conséquences importantes de l'Acte de Québec.

Paine — Je vous écoute.

Mercier — En plus de nous redonner le territoire des Grands Lacs, il nous redonnait également la côte du Labrador et, dans le golfe du Saint-Laurent, les Iles de la Madeleine et l'Ile d'Anticosti.

Paine — Ensuite.

Mercier — Il nous dispensait du serment du test, ce qui redonnait aux catholiques l'accès aux charges publiques dont ils étaient exclus depuis la conquête. En autorisant l'usage des lois civiles françaises, il reconnaissait la langue française et en permettant au clergé de percevoir la dîme, il reconnaissait la religion catholique. Vous avez jugé cet acte intolérable et, tout étant relatif, nous l'avons jugé admirable!

Paine — Évidemment! D'une part on vous redonnait des droits acquis dont vous aviez été dépouillés à l'occasion de la conquête, d'autre part on vous faisait cadeau d'un territoire que vous aviez perdu durant la guerre de Sept Ans.

Mercier — Mais, nous n'avons pas participé à la guerre de Sept Ans.

Paine — Pas les Canadiens comme tels monsieur Mercier, mais les habitants de la Nouvelle-France, les Français d'Amérique, comme a dit plus tard un certain général. Ceux-là avaient combattu en Amérique pour la France durant la guerre de Sept Ans tandis que nous, les futurs Américains, combattions pour l'Angleterre; nous étions ennemis.

Mercier — D'accord, je vous suis.

Paine — Or, vous les Canadiens et les Français avez perdu la guerre contre nous, les Américains et les Anglais. Pour nous récompenser de les avoir aidés, que font les Anglais? Ils nous enlèvent ce territoire que nous avions gagné au prix du sang de nos frères et d'immenses privations en vivres et en munitions dont nous avions pourtant besoin pour nous défendre contre les Indiens... ils nous l'enlèvent et vous le donnent à vous, les vaincus!

Cléopâtre — Mais, monsieur Paine, vous étiez des sujets du roi et ce n'était pas à vous qu'appartenait ce territoire de... des....

E. Fruitier — Des grands lacs!

Cléopâtre — Merci. Il appartenait au roi qui pouvait en disposer comme bon lui semblait.

Paine — C'est ce qui arrivait à votre époque, Majesté. Mais, ... autres temps, autres moeurs. Pour nous c'était injuste et révoltant. Pour comprendre ce que nous avons ressenti monsieur Mercier, demandez au Québécois d'aujourd'hui, demandez à l'auditoire de monsieur Fruitier ce qu'il pense du fait que cette même Angleterre a enlevé le Labrador au Québec pour le donner à Terre-Neuve en 1927.

Mercier — Bon! Vous avez marqué un point monsieur Paine. Cependant, il y a une autre chose que vous oubliez de dire, c'est qu'entre la conquête du Canada et l'Acte de Québec, vous, les colons américains, aviez changé d'attitude et de position. De sujet soumis, vous étiez devenus des rebelles. En passant l'Acte de Québec, l'Angleterre faisait un coup de maître. En plus de vous punir de votre rébellion, elle vous affaiblissait en vous privant de territoire et de certaines positions stratégiques et elle vous devançait en précipitant les Canadiens dans la lutte et en les mettant du même coup de son côté.

Paine — Les Canadiens n'étaient pas précipités dans la lutte, ils continuaient d'être nos ennemis. C'étaient des Français et des papistes catholiques. Tous mes camarades quakers et puritains se sont toujours méfiés de l'église apostate et idolâtre de Rome.

Mercier — Tut, tut, tut, monsieur Paine! Vous et vos... camarades n'en avez pas moins fait la cour à ces mêmes papistes à plusieurs reprises!

Paine — Fait la cour...

Mercier — Mais oui, entre autres dans les trois « Lettres du Congrès au peuple canadien » qui furent traduites en français et dont quelques milliers d'exemplaires furent disséminés au Québec.

E. Fruitier — Tiens! Il y a donc longtemps qu'on traduit les messages publicitaires américains en français pour les consommateurs québécois! Et qu'est-ce qu'elles disaient ces lettres?

Mercier — Elles tentaient de démontrer l'infamie de l'Angleterre, les avantages de la démocratie telle que prônée par les rebelles et finalement, elles invitaient les Canadiens à s'unir aux colonies. En somme, elles flattaient les Canadiens et leur faisaient la cour.

E. Fruitier — Monsieur Paine, vous avez pris le temps d'écrire des lettres d'amour aux Canadiens; mais après cela, quand et comment la révolution a-t-elle vraiment commencé?

Paine — En raison des troubles, les Anglais avaient nommé un militaire, le général Gage, gouverneur du Massachusetts. Il installa ses troupes dans Boston même. C'est alors que John Hancock, Samuel Adams et d'autres décidèrent de se préparer à résister à d'éventuelles attaques. Pour cela, ils entassèrent des munitions dans une cachette à Concord.

E. Fruitier — Qu'est-ce que le général Gage a fait alors?

Paine — Il envoya un détachement de huit cents hommes pour capturer Hancock et Adams qui s'étaient réfugiés dans une maison de campagne à Lexington et pour confisquer les armes et les munitions cachées à Concord. Ayant eu vent de l'expédition, Paul Revere parvint à sortir de Boston le 18 avril 75 et, durant sa chevauchée nocturne devenue légendaire, alerta tout le monde le long de sa route en criant: « The British are coming », « Les Anglais s'en viennent ». Il arriva à temps pour avertir Adams et Hancock et quand les Anglais arrivèrent à Lexington le lendemain, ils étaient attendus par une cinquantaine de minute-men.

E. Fruitier — Des minute-men?

Paine — C'étaient des miliciens, des réservistes qui pouvaient toujours entrer en action à une minute près. Huit des nôtres sont morts à Lexington, mais leur résistance a retardé l'avance des Anglais et permis à d'autres minute-men de s'organiser dans Concord.

E. Fruitier — Où les Anglais furent chaudement reçus!!!

Paine — Comme vous dites! Paysans et minute-men y étaient plus nombreux que les Anglais qui durent retraiter, en déroute, jusque dans Boston. Les colons américains avaient tiré, comme on dit depuis, « le coup de feu qui a été entendu tout autour du globe »; la révolution américaine était vraiment commencée et je vous souligne que c'étaient les Anglais qui étaient les agresseurs, nous n'avons fait que nous défendre.

E. Fruitier — Et c'est alors que tous les colons américains se sont unis dans un grand élan patriotique pour combattre.

Thomas Paine *(Jean-Louis Roux)*

Paine — Patriotique, pas du tout monsieur Fruitier! Dans un sens, nous n'étions pas des patriotes mais des traîtres qui se révoltaient contre la mère patrie. De toute façon, le patriotisme ne peut éclore que dans un peuple qui est uni par ses origines, son passé, ses luttes, sa culture, ses intérêts. Or, les colons réunissaient les éléments les plus divers: en plus des Anglais, il y avait de grandes concentrations de Hollandais, d'Allemands, de Français et de Juifs. La même diversité existait dans le domaine religieux où l'on trouvait des quakers, des puritains, des épiscopaliens...

E. Fruitier — Vous étiez une espèce de tour de Babel.

Paine — Oui et ce n'est que beaucoup plus tard que tous ces éléments se sont fondus dans le « melting pot », le creuset qui a amalgamé, uni la nation américaine.

E. Fruitier — Il y avait des colons qui n'étaient pas en faveur de la révolution?

Paine — Et comment! Et il a fallu la stupidité et l'agressivité militaire des Anglais pour soulever notre colère et nous amener à prendre les armes.

D'Aquin — Il arrive assez souvent que des sentiments nobles et justes mènent à la guerre mais lorsque celle-ci est déclenchée, la noblesse des motifs s'allie à l'opportunité qui, elle, s'accommode de tous les vices pour atteindre son but.

Paine — Vous avez raison père d'Aquin. Et quand je pense au peu d'enthousiasme qu'il y avait chez nous pour la guerre et au fait que l'Angleterre était, à ce moment-là, la plus riche et la plus puissante nation au monde, je me dis que nous aurions bien pu perdre notre révolution si l'Espagne et la France ne s'étaient pas liguées contre l'Angleterre.

Mercier — Et si le Canada n'avait pas été là pour agir comme pivot, comme tampon et comme épouvantail.

Paine — Encore le Canada, mais il ne comptait qu'environ soixante-quinze mille habitants à côté de nos trois millions ou plus.

Mercier — Vous ne voyez pas son importance, monsieur Paine, parce que vous n'envisagez la situation que de votre point de vue de révolutionnaire, de démocrate et d'Américain. Pour comprendre toute situation politique, il faut l'évaluer à l'échelle mondiale et, dans ce cas-ci à l'échelle de l'Europe et de l'équilibre européen.

Cléopâtre — Enfin, la largesse de vue d'un homme d'État au lieu de l'étroitesse d'esprit d'un agitateur!

(Réaction outrée de Paine)

Mercier — D'abord toutes les têtes couronnées d'Europe craignaient l'avènement, en Amérique, d'un gouvernement libre et indépendant qui aurait encouragé les notions de liberté et de révolution qui commençaient à se répandre en Europe.

Paine — C'est justement cela que les... *(Pour Cléopâtre)* ...agitateurs de l'époque remettaient en question : la divinité des rois et des reines... *(Puis pour d'Aquin)* ...de même que la divinité tout court d'ailleurs ! S'il n'y avait pas de dieu souverain qui régnait sur tout l'univers, il s'ensuivait que les rois ne pouvaient plus être divins et que leur droit de régner n'émanait pas d'un Être Suprême.

Cléopâtre — Monsieur Paine, même s'il n'y avait pas de Dieu, nous, reines, rois et empereurs aurions quand même le droit de régner simplement parce que nous sommes supérieurs. Comme je disais plus tôt, les êtres intelligents doivent mener les ignorants et les êtres forts, les faibles.

Paine — Comme plusieurs monarques d'Europe étaient, et avaient été pendant des siècles honteusement monstrueux...

Cléopâtre — Quelques-uns.

Paine — Plusieurs d'entre eux ! Eh bien nous disions, en fait, merde aux rois ; tous les hommes sont égaux !

Cléopâtre — C'est complètement faux, ils ne le sont pas.

D'Aquin — Sa Majesté a raison dans un sens. La nature elle-même se présente sous une forme hiérarchique, ce qui signifie que tous les êtres ne sont pas égaux. Certains occupent des positions importantes, d'autres sont inférieurs. Quant à la race humaine, il est évident qu'il n'y a pas deux hommes... *(Il se reprend pour Cléopâtre)* ou deux femmes qui soient exactement égaux, ou égales en force, en beauté et en intelligence. Il y a plusieurs différences naturelles.

Cléopâtre — Précisément.

D'Aquin — Mais tous les hommes sont égaux aux yeux de Dieu, Majesté, et par conséquent doivent être égaux devant la loi.

Paine — Et le Créateur leur a donné des droits inaliénables comme le droit à la vie, à la liberté, à la recherche du bonheur. Pour s'assurer ces droits, les hommes élisent des gouvernements qui tiennent leur pouvoir légitime du consentement des gouvernés.

Cléopâtre — Le berger n'a pas besoin du consentement des moutons, monsieur Paine.

Paine — Les bergers dépouillent les moutons de leur laine, les tuent et les mangent. Continuons... et lorsqu'un gouvernement, quelle que soit sa forme, se détourne de ces buts, c'est le droit du peuple de le changer ou de l'abolir et d'instituer un nouveau gouvernement.

Cléopâtre — Quel dommage, monsieur Paine, que vos belles paroles soient inspirées surtout par le mépris que vous avez pour la royauté.

Paine — Vous ne m'avez pas compris, Majesté. Je n'ai rien personnellement contre les rois, ou les reines, au contraire! Personne ne souhaite plus sincèrement que moi de les voir heureux et respectés... comme citoyens. Mais je suis l'ennemi avoué et acharné de la monarchie en tant qu'institution. C'est contre l'enfer de la monarchie que j'ai déclaré une guerre éternelle.

Mercier — Majesté, qu'est-ce qui serait arrivé à monsieur Paine dans votre temps, s'il avait fait de telles déclarations?

Cléopâtre — Exécuté! Il aurait été décapité, monsieur le premier ministre. On ne tolérait ni l'hérésie ni la trahison dans mon temps... on ne devrait jamais les tolérer. L'arrestation et l'exécution immédiates économisaient beaucoup de temps, d'énergie et de débats inutiles comme celui-ci. Elles contribuaient aussi à préserver et à perpétuer l'État. Ce n'est pas en tolérant les fomentateurs que l'empire égyptien a subsisté tant de milliers d'années.

Mercier — Majesté, niez-vous que les citoyens ordinaires aient des droits?

Cléopâtre — Ceux-là seuls que des souverains sages décident de leur accorder.

D'Aquin — Si tous les souverains étaient sages, Majesté, on n'aurait pas besoin de révolution.

Paine — Bien dit, d'Aquin.

Cléopâtre — C'en est choquant! *(Elle se lève, furieuse)* Regardez le monde, monsieur Paine, et voyez le résultat de tous vos beaux discours sur la révolution. Voyez-vous la paix universelle, l'ordre universel, le respect des vertus fondamentales? Il est indéniable que la monarchie ait produit des despotes à travers les siècles mais je ne vois pas que les masses ignorantes que vous appelez des majorités leur soient supérieures. *(Elle se rassoit)*

E. Fruitier — *(Il s'empresse de changer de sujet)* Si nous revenions au rôle du Canada dans la révolution américaine, monsieur Mercier.

Mercier — Pour le comprendre, il faut considérer l'équilibre européen à ce moment-là. Sortie victorieuse de la guerre de Sept Ans, maître de l'Amérique du Nord, de l'Inde et des mers, l'Angleterre était, comme l'a dit tout à l'heure monsieur Paine, la plus puissante et la plus riche nation au monde. Parmi les nations défaites durant la guerre de Sept Ans, seules la France et l'Espagne avaient des intérêts importants en Amérique et toutes les deux ont adopté la même position: affaiblir l'Angleterre en encourageant les colonies américaines, mais limiter l'aide aux Américains de sorte qu'ils ne deviennent pas trop puissants et qu'en somme les deux adversaires s'épuisent entre eux à la faveur d'une guerre qui durerait le plus longtemps possible.

E. Fruitier — C'était à la fois astucieux et machiavélique.

Cléopâtre — On appelle cela de la diplomatie!

Mercier — Justement, c'est un grand diplomate français, le comte de Vergennes, le ministre des Affaires étrangères de Louis XVI, qui a échafaudé toute la politique de la France dans cette affaire.

Paine — Et le Canada dans tout ça?

Mercier — J'y viens. Les Américains craignaient que la France ne reprenne le Canada et redoutaient donc une guerre entre l'Angleterre et la France parce qu'une éventuelle défaite de l'Angleterre risquait de ramener les Français en Amérique, ce dont ils ne voulaient pas entendre parler. La France, de son côté, ne voulait pas faire la guerre à l'Angleterre en Amérique, guerre qui aurait eu pour effet de faire passer les Américains dans le camp britannique, d'enrayer la révolution américaine et conséquemment de renforcer l'Angleterre. De plus, si paradoxal que cela puisse sembler, *(au public)* ... et si choquant que cela puisse être pour mes compatriotes canadiens-français, c'est pour les mêmes raisons que la France ne voulait pas reprendre le Canada.

E. Fruitier — Hein, la France ne voulait plus du Canada, après s'être si longtemps battue pour le conserver? Allons donc!

Mercier — Parfaitement! Quand la France se battait pour conserver le Canada, les colonies américaines étaient soumises à l'Angleterre. Maintenant elles étaient devenues des ennemies de l'Angleterre et pour qu'elles le restent, il fallait que le Canada demeure possession britannique!

E. Fruitier — La France, notre mère patrie, qui ne voulait pas du Canada! Eh bien, je tombe des nues!

Mercier — Si bien que le comte de Vergennes a écrit à un de ses envoyés en Amérique: « Il faut faire comprendre aux Américains que nous ne songeons point du tout à reprendre le Canada... »

E. Fruitier — Oh non !

Mercier — ... et à son ambassadeur en Angleterre: « Les Anglais ont tort de penser que nous pleurons autant le Canada qu'ils regrettent de l'avoir conquis ». On peut même se demander si la France n'a pas fait exprès pour perdre le Canada qui lui coûtait très cher et ne lui rapportait pas grand-chose. En effet, voyez un peu les avantages qu'elle avait à le perdre:
— elle mettait sur les épaules de l'Angleterre le fardeau économique du Canada ;
— en disparaissant de l'Amérique et en cessant de faire la guerre aux colons britanniques au sud, c'est-à-dire aux futurs Américains, elle donnait la chance à ceux-ci de se soulever contre leur mère patrie, l'Angleterre, dont ils étaient mécontents ;
— s'il y avait une révolution et qu'elle réussissait, la France pouvait espérer remplacer l'Angleterre comme fournisseur des Américains et s'ouvrir ainsi un commerce bien plus lucratif que sa coûteuse aventure au Canada.
Et en fait, c'est exactement cela qui est arrivé après la prise du Canada par l'Angleterre.

Paine — En somme, vous laissez entendre que si l'Angleterre n'avait pas conquis le Canada, elle aurait peut-être pu garder les États-Unis?

Mercier — On ne le saura jamais, mais cela aurait pu arriver. Ce qui est certain, c'est que d'un côté, la France ne voulait plus du Canada et que de l'autre côté, l'Angleterre voulait le garder tandis que les Américains voulaient soit l'amadouer, soit le conquérir, soit l'acheter.

Paine — L'acheter ! Comment ça?

Mercier — Je vous expliquerai tout à l'heure; passons à l'Angleterre pour qui le Canada était un endroit idéal où elle pouvait en toute sécurité ravitailler ses troupes. Elle pouvait les y envoyer se reposer entre deux combats et se trouver ainsi à la frontière de l'ennemi au lieu d'en être séparée par l'Atlantique.

Paine — Les intérêts de l'Angleterre sont évidents, passons à ceux des Américains.

Mercier — Je vous ai parlé des lettres du Congrès aux Canadiens.

Paine — Oui, oui, je me souviens.

Mercier — Eh bien, ça n'a pas réussi parce que les Canadiens avaient eu tout ce qu'ils voulaient grâce à l'Acte de Québec, et parce que l'Église avait interdit aux Canadiens de se ranger du côté des Américains sous peine d'excommunication.

Paine — Encore l'Église qui manipule les fidèles à l'aide de la peur!

Mercier — Alors les Américains ont essayé par la force.

Paine — Oui, tout le monde connaît l'échec et la mort de notre pauvre Montgomery dans son effort d'aller prendre la ville de Québec qui contenait alors le plus grand magasin de munitions jamais réuni en Amérique. Tout le monde connaît aussi les diverses expéditions approuvées par Washington et celles qu'il a contremandées, et les plans remarquables qu'avait faits le marquis de La Fayette pour envahir le Canada à la fois par Halifax, par Québec et par Montréal.

Mercier — Encore une fois, c'est le comte de Vergennes qui a imposé son veto à La Fayette de peur que son plan ne réussisse et que la France ne se retrouve avec le Canada sur les bras.

Paine — Et qu'est-ce que c'est que cette histoire que nous voulions acheter le Canada.

Mercier — Cela m'étonne que vous l'ignoriez, monsieur Paine; c'était un des nombreux plans de votre ami Benjamin Franklin.

Paine — Oh, vous savez, il en a tellement eus! Et puis, je n'étais pas dans tous ses secrets, surtout pas après ma brouille avec Washington.

Mercier — Un jour, imaginant que l'Angleterre pouvait être forcée de faire une offre de paix à ses colonies, Franklin avait suggéré qu'alors, il faudrait acheter le Canada. Son raisonnement était le suivant: cela coûterait moins cher que le conquérir par les armes et, à long terme, il y aurait d'énormes profits à faire en revendant les terres ainsi acquises.

Paine — Eh! Avouez que ce n'était pas bête.

Mercier — En effet. Mais pour revenir au point de départ vous voyez maintenant, monsieur Paine, que le Canada a joué un rôle vital dans toute votre révolution et que la France n'a jamais voulu reconquérir ni ravoir le Canada.

E. Fruitier — Quand je pense qu'on a fait peindre des fleurs de lys sur toute la route qui va de Québec à Montréal pour recevoir le général de Gaulle! Est-ce que par hasard il aurait eu, lui aussi, des idées... *(à Cléopâtre)* ...diplomatiques derrière la tête quand il nous a fait son numéro du « Vive le Québec libre! »?

Mercier — Cela non plus vous ne le saurez jamais, monsieur Fruitier. Oh, vos enfants ou vos petits-enfants peut-être!

E. Fruitier — On ne le saura jamais puisque je suis célibataire! Bon, voyons autre chose. Monsieur Paine, après la révolution, vous n'avez pas passé le reste de votre vie aux États-Unis n'est-ce pas?

Paine — Non, en 1787, je suis allé en Europe avec l'intention d'y passer un an. Je voulais voir mes parents qui vivaient encore et puis je voulais revoir la France mais... la vie a de ces manières de nous jouer des tours! Quinze ans devaient s'écouler avant que je ne revienne aux États-Unis.

E. Fruitier — Pourquoi si longtemps?

Paine — Entre autres, parce que je me suis retrouvé en pleine révolution française.

E. Fruitier — Comme par hasard, une autre révolution!

Paine — Excusez-moi, pourriez-vous me donner à boire?

E. Fruitier — Bien sûr! *(Il sert un verre)*

Paine — En reconnaissance de mes efforts durant la révolution, La Fayette m'a personnellement donné l'énorme clé de la Bastille que j'ai remise à George Washington. *(Il boit)* Mais, c'est de l'eau.

E. Fruitier — C'est donc vrai ce qu'on raconte que vous preniez un verre?

Paine — Monsieur! Je vivais à une époque où c'était courant que les gens boivent beaucoup; or, j'étais considéré comme un buveur modéré; je n'ai donc jamais été alcoolique comme mes critiques ont insinué.

D'Aquin — Vous auriez dû vous soucier de votre santé et ne pas boire du tout.

E. Fruitier — Pardon, mon père, à quel âge êtes-vous mort?

D'Aquin — À 49 ans.

E. Fruitier — Je vois. Eh bien, monsieur Paine lui a vécu jusqu'à 72 ans.

Mercier — Pour revenir à la révolution française, vous n'approuvez quand même pas tout ce qu'on a fait en son nom?

Paine — Évidemment pas, puisque j'ai abouti dans une prison française moi-même. Mes amis les Girondins ont été défaits. Puis ce fut la Terreur, l'exécution du roi Louis XVI dont vous parliez plus tôt, de Marie-Antoinette et de combien d'autres. Tout cela m'a beaucoup attristé. Vous serez probablement intéressée d'apprendre, Majesté, que j'ai essayé d'empêcher l'exécution du roi.

Cléopâtre — *(Froidement)* Vraiment?

Paine — Oui car je trouve que l'un des traits les plus déplorables de l'homme, c'est la facilité avec laquelle il est prêt à assassiner ceux qu'il n'approuve pas.

D'Aquin — M. Paine, vous nous avez dit la semaine dernière que vous n'étiez pas athée; quelle était donc votre religion?

Paine — Une religion qui s'appelait le déisme, le culte du Dieu qui nous est révélé par ses oeuvres dans la nature. Je croyais qu'il ne devait pas y avoir d'intermédiaire entre l'homme et son Dieu.

D'Aquin — Quelles obligations vous imposait votre foi, monsieur Paine?

Paine — Quelle question typiquement catholique, mon pauvre d'Aquin! Selon le déisme, je devais pratiquer la justice, la commisération et m'efforcer de rendre mon prochain heureux.

D'Aquin — Tout cela me paraît fort louable, mais d'où venait votre inimitié pour l'Église?

Paine — Ma colère contre *les* Églises venait du fait qu'elles n'ont jamais pratiqué ce qu'elles prêchaient.. Les 2 000 ans de l'ère chrétienne, comme vous le savez tous, ont été caractérisés par la cruauté, le sang répandu, la terreur, le despotisme, le meurtre, le viol et le pillage.

Mercier — C'est hélas trop vrai.

Paine — Le pire c'est que la plupart de ces crimes ont été commis au nom d'une religion ou d'une cause spirituelle. Je considérais donc que le plus grand défaut des hordes religieuses était l'hypocrisie.

D'Aquin — Comment se fait-il que vos camarades, Washington, Jefferson et les autres se soient fait moins d'ennemis que vous dans le monde religieux tout en partageant vos croyances?

Paine — Parce qu'ils avaient choisi de ne pas étaler leurs croyances tandis que j'avais décidé de répandre les miennes. Je croyais que toutes les religions d'état, juives, chrétiennes, islamiques ou ce que vous voudrez, n'étaient que des inventions humaines instituées pour terrifier l'homme, pour l'asservir et pour monopoliser le pouvoir et le gain. *(Il prend un livre sur la table)* Voici d'ailleurs ce que j'ai écrit dans « Le siècle de raison » dont nous avons parlé la semaine dernière. « Je ne condamne pas ceux qui pensent autrement que moi, ils ont droit à leurs croyances, comme moi aux miennes. Mais, pour être heureux, l'homme se doit d'être fidèle à lui-même. L'infidèle n'est pas celui qui ne croit pas mais celui qui fait profession d'une foi qu'en fait, il n'a pas. »

D'Aquin — Vos critiques des Saintes Écritures s'attaquaient, justement d'ailleurs, à un certain fondamentalisme trop littéral. Vous serez peut-être étonné d'apprendre que votre point de vue est maintenant partagé par des millions de chrétiens convaincus.

Paine — C'est une amélioration que je ne pouvais pas prévoir mais je ne peux que me réjouir du fait que durant les derniers deux cents ans le Christianisme a évolué, est devenu plus civilisé.

D'Aquin — Monsieur Paine, en critiquant les folies et les crimes commis par les chrétiens et par d'autres croyants à travers les siècles, vous avez dit la vérité, mais pas toute la vérité. Si ces Églises avaient été si malfaisantes et malavisées que vous le dites, elles n'auraient pas survécu si longtemps et il n'y aurait pas des centaines de millions de personnes qui affirment y avoir trouvé la paix psychologique, la réponse à leurs besoins affectifs. Il me semble que votre réputation d'écrivain repose plus sur vos deux livres « Le sens commun » et « Les droits de l'homme » que sur « Le siècle de raison ».

Cléopâtre — Comment avez-vous fini vos jours, monsieur Paine?

Paine — Dans une misérable chambre meublée au premier étage du 309 de la rue Bleeker à New York. En 1809, on m'a transporté dans une maison pour invalides au 50 de la rue Grove où je suis mort peu après.

Mercier — Avez-vous changé certaines de vos vues religieuses sur votre lit de mort?

Paine — Je considère votre question insultante monsieur le premier ministre!

Mercier — Pourquoi? Vous n'auriez pas été le premier!

Paine — Vous allez voir pourquoi! Durant mes derniers mois, bien des fanatiques ont eu le culot de forcer ma porte pour me « convertir » et m'arracher aux flammes de l'enfer. Je me souviens d'une femme bizarre qui se disait porteuse d'un message personnel de Dieu lui-même. Je lui ai dit: « Ma brave dame, Dieu n'envoie pas de messages personnels et s'il le faisait, il ne choisirait jamais une femme aussi folle, aussi vieille et aussi laide que vous. Sortez et n'oubliez pas de fermer la porte ».

D'Aquin — Vous me semblez bien ancré dans vos croyances, monsieur Paine, ne regrettez-vous rien de ce que vous avez dit ou écrit?

Paine — Bien sûr. Qui de nous n'a pas de regrets. Je regrette de ne pas avoir été, comme vous, une sainte personne. Ma vie a été honnête mais il m'a toujours paru plus facile d'aimer l'humanité que les humains individuellement.

D'Aquin — Nous avons tous souffert de cela, monsieur Paine, les saints peut-être plus que les autres.

Paine — Je regrette aussi de ne pas avoir pu être plus charitable envers ceux qui m'attaquaient. Je crois que mon plus grand défaut était mon incapacité de faire des compromis. Mais... si c'était à recommencer, je ferais probablement la même chose. Vous devez savoir jusqu'à quel point j'ai été attaqué, faussement accusé et par des gens qui se disaient chrétiens. Dites-moi d'Aquin que pensez-vous de tous ceux qui m'ont attaqué?

D'Aquin — *(Il réfléchit un instant)* Que c'étaient probablement ceux dont la foi était la moins solide. Vous ébranliez leurs béates croyances. Cela les plongeait dans l'incertitude et la crainte. C'est leur crainte qui engendrait leur hostilité.

Mercier — Mon père, vous avez eu affaire à bien des hérétiques, à bien des incroyants dans votre temps. Étiez-vous toujours bienveillant envers eux?

D'Aquin — Merveilleuse question monsieur Mercier! La réponse est non. Ce que je considérais comme les dangereuses hérésies de mes adversaires me plongeait parfois dans la colère et l'animosité. Mais j'essayais de leur répliquer dans un esprit de charité chrétienne, ce que je crois avoir accompli dans mes écrits.

Mercier — Oui, mon père, vous avez réussi.

Paine — Aurais-je le temps d'aborder une dernière question?

E. Fruitier — Mais, bien sûr!

Paine — Sa Majesté a eu la franchise de nous dire que si j'avais affiché mes vues dans son temps, elle m'aurait fait exécuter. Je crois que chacun d'entre nous ici considère une telle attitude moralement abominable.

Tous *(sauf Cléopâtre)* — Oui. En effet. Bien sûr.

Paine — L'histoire de l'Europe nous a donné le siècle des Lumières, le XVIIIᵉ siècle qui s'est élevé contre de tels pouvoirs royaux. C'est contre de tels crimes que se sont élevées la révolution américaine et la révolution française. La conduite de Sa Majesté est donc condamnée par la conscience publique.

Mercier — Évidemment, monsieur Paine, mais où voulez-vous en venir?

Paine — À ceci, monsieur le premier ministre, que le père d'Aquin est coupable du même crime d'intention.

E. Fruitier — Quoi?

Paine — Oui. Lui aussi a dit qu'il était juste de brûler les hérétiques sur le bûcher, de les décapiter, de les étrangler.

Mercier — Est-ce vrai, mon père?

D'Aquin — Oui. C'est ce que je croyais dans le temps. Aujourd'hui je verrais probablement les choses d'un autre oeil. Valables ou non, nous avions des raisons de recourir à la peine capitale il y a plusieurs siècles. Il y avait peu de prisons et la machine légale n'était pas organisée comme elle l'est aujourd'hui. La plupart des accusés étaient considérés comme coupables jusqu'à ce qu'on ait prouvé leur innocence et la mort était un fait journalier dû à la guerre, à la maladie, à la peste. Au XIII siècle, tout le monde admettait qu'il était permis d'exécuter ceux qui blessaient le corps. Il y a probablement une majorité de gens qui croient encore cela. L'hérétique, lui, blessait l'âme en prêchant des fausses doctrines. Il semblait donc raisonnable de l'exécuter lui aussi. L'homme d'une époque ne peut pas être plus civilisé que la culture de son époque ne le lui permet.

Mercier — Bien sûr!

D'Aquin — En soulignant mes erreurs, monsieur Paine, vous n'avez rien démontré qui puisse porter atteinte à la doctrine chrétienne.

Paine — Je n'accuse pas le Christ, j'accuse d'Aquin. Parlez pour vous-même.

D'Aquin — C'est ce que je fais mais je ne peux pas séparer ma philosophie de la vérité que le Christ est venu nous enseigner: toute ma vie, toute mon oeuvre ont été consacrées à expliquer aux hommes les enseignements de Jésus.

Paine — La plupart des enseignements de Jésus, mon cher, étaient merveilleusement simples, même les enfants les comprenaient. On ne peut pas en dire autant de vos écrits. Même le franciscain Duns Scott a dit qu'il ne pouvait pas comprendre certains de vos arguments.

D'Aquin — Ce qui ne prouve pas qu'ils étaient faux.

Paine — Vous avez raison, ça ne le prouve pas. On dit que vous vous considériez théologien plutôt que philosophe, est-ce vrai?

D'Aquin — Oui.

Paine — Je n'aime pas beaucoup le mot théologien, ni théologie qui veut dire...

D'Aquin — La science, la doctrine ou la connaissance de Dieu.

Paine — Précisément. Et c'est pourquoi j'affirme que c'est le mot le plus présomptueux que l'homme puisse utiliser. Oui, présomptueux! Comment l'homme, l'homme petit, l'homme ignorant ose-t-il prétendre que ses théories au sujet de Dieu sont une connaissance certaine? Ce ne sont que des théories, monsieur.

D'Aquin — En effet, certaines spéculations au sujet de Dieu sont purement théoriques, monsieur Paine, mais les théories, je le répète, ne sont pas nécessairement fausses. Et l'on peut affirmer que certaines notions de Dieu sont la vérité.

Paine — Comme?

D'Aquin — Comme: « Dieu existe ».

Mercier — Très bien, mon père.

Paine — Je... Bon d'accord d'Aquin! Vous m'avez eu! Moi aussi je crois que ce monde visible a été créé par une puissance suprême et moi aussi j'appelle cette puissance Dieu. Je pourrais même être d'accord avec quelques autres de vos affirmations sur Dieu.

Cléopâtre — Oh! je vois messieurs. La vérité c'est ce sur quoi vous êtes d'accord tous les deux, c'est bien ça?

Paine — Ce que je prétends, Majesté, c'est qu'il y a très peu de choses qu'on puisse affirmer avec exactitude au sujet de Dieu. Or, d'Aquin ici présent a écrit des livres à la douzaine sur ce sujet et il a appelé tout ça théologie. Je dis que c'est le comble de la présomption.

D'Aquin — Vous n'êtes pas complètement dépourvu de présomption vous-même, monsieur Paine.

E. Fruitier — Messieurs, Majesté, si vous le voulez bien nous allons changer de sujet; on règle bien peu de choses à discuter de religion d'une manière aussi enflammée.

Mercier — Vous avez tout à fait raison.

E. Fruitier — Il ne nous reste que quelques minutes. Dites-nous monsieur Paine, quelle est la réflexion la plus importante que vous puissiez faire, *aujourd'hui*, sur la révolution américaine.

Paine — C'est de constater qu'elle n'a jamais été complétée. Aucune révolution n'a été totalement réussie.

D'Aquin — Très juste. La révolution est une forme de guerre et comme inévitablement la guerre corrompt, toute révolution déchaîne, en même temps que des forces saines et productives, des forces dangereuses et incontrôlables. C'est là une des grandes tragédies de l'expérience humaine.

Paine — En effet, la révolution française a fini par sombrer dans la folie et la terreur. Quand les grandes marées se retirent, les révolutions semblent toujours perdre une bonne partie du terrain qu'elles avaient gagné. Quand j'étais de ce monde je me disais que l'humanité aurait été plus heureuse si on avait pu la débarrasser de George III, de William Pitt, de Robespierre et d'autres indésirables. Maintenant je me rends compte que c'est dans le coeur de chaque homme que la bataille doit se livrer. Chacun de nous doit résister à l'apathie. Chacun de nous doit se méfier de ses propres préjugés. Chacun de nous doit refuser de se laisser guider uniquement par ses intérêts mesquins et égoïstes.

D'Aquin — Exactement monsieur Paine : les pires dangers ne viennent pas des hommes qui sont éminemment méchants. Le pire vient de ceux qui sont bons la plupart du temps mais qui abandonnent la lumière et choisissent les ténèbres quand ils peuvent en tirer quelque avantage matériel immédiat.

E. Fruitier — Majesté, messieurs, malheureusement c'est terminé. Je vous remercie d'avoir accepté de participer à notre émission et je suis bien tenté d'espérer que vous nous reviendrez un de ces jours.

Merci, au revoir !

Sir Thomas More *(Jean-Louis Paris)*, Marie-Antoinette *(Elizabeth Le Sieur)*, Edgar Fruitier, Pontiac *(Jacques Godin)*, Karl Marx *(Jean Fontaine)*.

2

première partie

Invités:

quatre illustres personnages de l'histoire,

du Canada du XVIIIe siècle, le chef outaouais,
PONTIAC,

de la France du XVIIIe siècle,
Sa Majesté, la reine MARIE-ANTOINETTE,

de l'Angleterre du XVIe siècle,
Sir THOMAS MORE,

et de l'Allemagne du XIXe siècle,
le père du communisme moderne,
KARL MARX,

Distribution:

Hôte	Edgar Fruitier
Pontiac (1720-1769)	Jacques Godin
Shegenaba	Christian Saint-Denis
Marie-Antoinette (1755-1793)	Élizabeth Le Sieur
Karl Marx (1818-1883)	Jean Fontaine
Thomas More (1478-1535)	Jean-Louis Paris

E. Fruitier — Bonsoir, bienvenue aux « Grands esprits ». Si vous ne connaissez pas notre premier invité ce soir, vous connaissez au moins son nom et bien des gens... *(Un Indien en pantalon de cuir et en mocassins entre en scène entre les caméras et la table, conduisant un cheval idéalement blanc, par le licou)* Mais, monsieur, vous n'êtes pas notre premier invité et... votre cheval l'est encore bien moins !

Shegenaba — Ce n'est pas *mon* cheval, monsieur Fruitier, c'est le vôtre.

E. Fruitier — Mais je n'ai jamais eu de cheval moi !

Shegenaba — Maintenant, vous en avez un ! Mon père qui est aussi mon chef vous envoie ce cadeau en prévision de votre rencontre de ce soir.

E. Fruitier — C'est vraiment *trop* gentil, je vous remercie. *(Il pointe à sa gauche)* L'écurie est par là ! *(L'Indien passe de gauche à droite avec son cheval, Edgar le regarde aller en hochant la tête, de surprise et d'incrédibilité)* Autre temps, autres mœurs ! Si ce n'est pas la dernière surprise qui m'attend ce soir, j'espère que c'est la plus grosse !! Je vous disais donc que vous connaissez probablement le nom de notre premier invité mais ce que certains d'entre vous ne savent peut-être pas, c'est que bien avant d'être le nom d'une circonscription électorale du Québec et celui d'une marque d'automobile, c'était le nom d'un grand chef indien. Mesdames et messieurs, le célèbre chef de tous les Outaouais, des Chippewas, des Pottawattamis, et de toutes les nations des lacs et des rivières du nord : Pontiac.

(Pontiac entre en costume d'apparat, portant tous les attributs de chef : tomahawk blanc et un sac de wampums, plumes, etc. Il s'avance vers sa chaise, se retourne vers le public et reste immobile, la tête haute durant les applaudissements. Puis il se retourne vers Edgar, lui serre la main et dit :)

Pontiac — Monsieur Fruitier, bonsoir.

E. Fruitier — Bonsoir chef!

Pontiac — *Nin Pohdiak, Odawé Oguimâ, Ikid, Bouzo-kwé kwé Anichinahbé, Bouzo-kwé kwé, Anichinahbékwé.* *

(Pontiac prend dans son sac un wampum blanc et, le tenant élevé en direction d'Edgar, dit :)

Pontiac — Mon frère, avec ce wampum j'ouvre vos oreilles que vous entendiez, j'efface la peine et le chagrin de votre coeur, j'enlève de vos pieds les épines qui les ont transpercés durant votre voyage jusqu'ici, je lave votre tête et votre corps que vos esprits soient rafraîchis, je pleure vos amis qui sont décédés et j'efface le sang qui a pu être répandu entre les vôtres et les miens.

(Il remet le wampum à Edgar)

E. Fruitier — Chef, je vous remercie de vos voeux, de ce wampum et du cheval. J'espère que ce n'est pas un cheval de bataille!

Pontiac — Au contraire, frère, c'est un présent qui signifie ma bonne volonté et sollicite la vôtre; c'est pourquoi il est blanc tout comme ce wampum et comme mon tomahawk. Chez nous, le blanc est symbole de paix, tandis que le rouge et le noir signifient la guerre et la mort.

E. Fruitier — Je vous en prie, asseyez-vous. J'ai remarqué que vous avez envoyé votre fils me remettre le cheval-cadeau.

Pontiac — Oui, mon fils Shegenaba mais, pourquoi cela vous étonne-t-il? Vos chefs d'État ne voyagent-ils pas également avec leurs enfants?

E. Fruitier — Euh... Oui... il y en a à qui ça arrive. Pontiac, dites-moi, êtes-vous devenu chef parce que votre père l'était?

Pontiac — Pas du tout, frère! Plusieurs fils de chefs se sont enfoncés dans l'anonymat le plus total après la mort de leur père. Pour devenir chef et avoir le respect des siens, il fallait avoir de l'intelligence, du courage, de la détermination, de l'adresse et de l'éloquence. Si vous exigiez aujourd'hui les mêmes qualités de vos chefs d'État, j'ai l'impression qu'il y en a plusieurs qui ne seraient jamais devenus premier ministre ou président!

E. Fruitier — C'est vous qui l'avez dit, pas moi! Pontiac, pourquoi étiez-vous le chef de tant de nations?

Pontiac — Si de nombreuses tribus, à part mes Outaouais, m'ont accepté comme chef, c'est que je défendais la cause commune: la survie de tous les Indiens.

---

* Moi, Pontiac, chef des Outaouais, je dis: bonjour et salut Amérindiens, bonjour et salut Amérindiennes.

E. Fruitier — Nous en reparlerons plus tard. *(À la caméra)* Notre prochaine invitée est une des femmes les plus fascinantes de l'histoire. Ses ennemis l'ont accusée de frivolité, de vanité et même d'avoir trahi son pays. Par contre, ses admirateurs la trouvaient charmante, courageuse et incomprise. Durant la révolution, elle fut guillotinée, tout comme son mari, Louis XVI. Elle aura sans doute bien des choses à nous apprendre sur la révolution française et sur ses causes. Mesdames et messieurs, Sa Majesté Marie-Antoinette, reine de France. *(Ils se lèvent: Edgar va l'accueillir à l'escalier. Marie entre)*

(Musique: La Marseillaise)

C'est un plaisir de vous revoir, Majesté... *(Marie s'arrête net)* Il y a quelque chose qui ne va pas?

Marie — Si vous ne faites pas cesser cette musique insultante immédiatement, je m'en retourne d'où je viens!

E. Fruitier — Arrêtez la musique! Mais qu'est-ce qui ne va pas Majesté?

Marie — La Marseillaise n'est pas mon hymne national: c'est une chanson grossière qui fut lancée par le régiment des Marseillais entrant dans Paris, assoiffé de sang.

E. Fruitier — Ah mon Dieu! Vous avez tout à fait raison, Majesté, où avais-je la tête? J'espère que vous nous pardonnez ce faux pas.

Marie — *(Hautaine)* Évidemment.

(Elle finit de descendre l'escalier puis ils vont vers la table)

(Apercevant Pontiac) Mais c'est un sauvage! Vous le faites exprès? On ne m'avait pas prévenue qu'il y avait un sauvage parmi vos invités.

Pontiac — *(Toujours tête haute, il dit)* Je suis très heureux de rencontrer la squaw de mon père, le roi de France. *(Réaction de Marie)(Pontiac est toujours debout, toujours impassible)*

E. Fruitier — Majesté, aujourd'hui, on ne dit plus un... « sauvage »; Pontiac est un Indien, le plus grand chef indien de son temps et le plus fidèle allié de la France au Canada.

Marie — *(Haussant les épaules)* Chef! *(Tous s'assoient)*

E. Fruitier — Majesté, est-ce que ce sont bien des drapeaux québécois et canadiens que je vois piqués dans votre coiffure?

Marie — En effet; je suis tellement contente que vous les ayez remarqués.

E. Fruitier — Personne ne peut rater une coiffure aussi imposante!

Marie — Vous êtes très gentil, mais celle-ci est... discrète, comparée à certaines autres coiffures que j'ai portées.

77

E. Fruitier — Vraiment?

Marie — Oui, elle n'a que trente centimètres. D'autres mesuraient cinquante centimètres et, lors de certaines occasions spéciales, j'ai porté une perruque d'un mètre de haut.

E. Fruitier — Mon Dieu! Mais qu'est-ce qui les faisait tenir?

Marie — La prière, de très longues épingles à cheveux et beaucoup de pommade!

E. Fruitier — Vous aviez donc des coiffeurs professionnels, comme les nôtres.

Marie — Mais, monsieur Fruitier, c'est à Versailles que certaines de vos coiffures modernes ont été inventées. Le style pompadour vient de madame de Pompadour. Nos coiffures variaient suivant les événements. Ainsi, quand la révolution américaine est devenue le sujet de conversation du Tout-Paris, nos coiffures la rappelaient. J'ai déjà eu un océan déchaîné là-haut.

Pontiac — Comment pouviez-vous monter dans vos carrosses, affublées de si hautes coiffures?

Marie — En relevant nos jupes et en nous agenouillant, monsieur le chef. Il a même fallu rehausser les plafonds des loges de théâtre pour que nous puissions y entrer.

E. Fruitier — Les jeunes filles d'aujourd'hui n'ont pas le temps de se faire faire des coiffures aussi compliquées que les vôtres, Majesté.

Marie — Non, les pauvres!

Pontiac — Mais, d'après ce que j'ai pu voir, elles y gagneraient à étudier la féminité et le charme du XVIIIᵉ siècle.

E. Fruitier — De l'élite du XVIIIᵉ au moins, car ce devait être difficile pour les pauvres d'en faire autant.

Marie — Évidemment! À Versailles, les hommes aussi bien que les femmes n'avaient rien d'autre à faire de la journée que de se pomponner.

E. Fruitier — Comme dans Pompadour!!! En somme, vous avez constitué le premier « jet set ».

Marie — Le quoi?

E. Fruitier — Euh... ça n'a pas d'importance, Majesté! Décrivez-nous donc la vie à la cour.

Marie — À Versailles? D'abord, c'était le palais le plus somptueux au monde. Nous avions plus de cent chambres, deux mille magnifiques chevaux dans les écuries et...

E. Fruitier — Deux mille chevaux? C'est mieux que moi qui n'en ai qu'un seul... et pas d'écurie!

Marie — Oui et environ quatre mille domestiques en livrées splendides.

E. Fruitier — Le cérémonial devait y avoir beaucoup d'importance!

Marie — Oui, beaucoup. Courtisans et courtisanes étaient toujours parés de somptueux brocarts, de soie et, bien sûr, de bijoux exquis. Nous passions nos nuits à danser, à jouer; j'adore le jeu. Il y avait des bals et des mascarades dans d'immenses salles où l'or et l'argent étincelaient sous les feux des chandeliers de cristal. C'était très extravagant! Oui, Versailles était l'endroit le plus élégant, le plus extravagant et le plus ennuyeux au monde.

E. Fruitier — Versailles, ennuyeux?

Marie — Éminemment! Je m'y ennuyais tellement que j'ai persuadé mon mari, le roi, de m'offrir mon propre palais, le Petit Trianon, près de Versailles. C'est là que je passais une grande partie de mon temps avec mes amis intimes.

E. Fruitier — Excusez-moi, Majesté. Avant que vous n'alliez plus loin, j'aimerais présenter nos autres invités qui voudront sans doute entendre, eux aussi, l'histoire de Versailles.

Marie — *(Regardant Pontiac)* Il y en a au moins un que je serai enchantée de rencontrer.

E. Fruitier — Il doit s'agir du distingué Lord Chancelier d'Henri VIII fort probablement le plus honnête homme de son temps en Angleterre. Son courage et sa force ont inspiré bien des gens à travers les siècles. Mesdames et messieurs, Sir Thomas More!

(More entre)

E. Fruitier — Votre Seigneurie, soyez le bienvenu.

More — Merci monsieur. C'est très aimable de m'avoir invité. Majesté... Chef... *(Il s'assoit)*

E. Fruitier — Je me rends soudainement compte d'une chose: Sa Majesté a été décapitée par le peuple de Paris; on pourrait dire par la gauche. Vous avez été décapité par les ordres d'Henri VIII; on pourrait dire par la droite. La démocratie et la monarchie sont donc également dangereuses.

More — Sans aucun doute, monsieur. Nous vivons sur une planète singulièrement dangereuse. Mais il est plus sage de considérer comme nous vivons que comment nous mourrons.

E. Fruitier — Ce qui nous amène à notre prochain invité. Bien que sa philosophie s'inquiète du sort des pauvres et des opprimés, ses disciples ont fait exécuter des millions de personnes dans les

79

pays qu'ils contrôlent. Il sera intéressant d'entendre ses commentaires là-dessus... Le moins qu'on puisse dire c'est que ses idées sont controversées. Des millions d'individus le révèrent et des millions d'autres le détestent. En 1848, il publia un pamphlet avec son collègue Friedrick Engels et la face du monde en fut changée. Cette année-là, l'Europe bouillonnait d'un ferment révolutionnaire et le pamphlet de notre prochain invité s'intitulait: «Manifeste du parti communiste». Mesdames et messieurs, le fondateur du mouvement qui a le plus influencé les masses depuis l'avènement du Christianisme: Karl Marx.
(Marx entre, va à son fauteuil, salue les autres, et réagit, en s'asseyant, au fait que certains spectateurs le conspuent)

E. Fruitier — Je crains fort, monsieur Marx, qu'une telle réaction soit inévitable, étant donné l'histoire politique du dernier demi-siècle. Cependant, je vous assure que vous pourrez vous exprimer librement et explicitement ici ce soir.

(Il le fait asseoir)

Marx — Merci monsieur. Votre présentation et leur réaction soulignent qu'il y a des gens qui me détestent. Je suppose qu'ils me détestent parce qu'ils craignent de perdre leur liberté. Or, il y a une chose que je voudrais que mes adversaires comprennent. Majesté, de vos jours, en France, l'homme moyen avait-il la liberté de choisir celui qui le dirigeait? Jusqu'à quel point pouvait-il décider de sa propre destinée?

Marie — Euh... Mais... je... Je ne sais pas. Le peuple nous aimait... mais je... je ne me souciais pas de telles questions.

Marx — Voilà! *(Se retourne vers le public)* Vous voyez quel était le problème! Quand j'ai écrit mon document, on ne connaissait à peu près pas les libertés dont vous vous targuez en Amérique du Nord. En ce temps-là, en Prusse il n'y avait ni liberté de parole, ni liberté de presse, ni liberté de s'assembler, ni procès avec jury, ni parlement. Le peuple était pauvre et opprimé mais c'était dangereux de s'opposer à l'État Prussien. Si bien que ce que Voltaire a dit de Dieu pourrait s'appliquer à moi.

Pontiac — C'est ce qui s'appelle se prendre pour un autre!

E. Fruitier — Quelle est donc cette phrase qu'on aurait pu dire de vous?

Marx — Que si je n'avais pas existé, il eut fallu m'inventer!

E. Fruitier — Comme la révolution française a ouvert la voie aux soulèvements des ouvriers de votre siècle, monsieur Marx, posons donc quelques questions à Sa Majesté. Bien des gens, Majesté, sont familiers avec le dernier chapitre de votre vie: votre exécution sur la place publique à Paris en 1793. Mais, pour comprendre la fin de votre histoire, il faudrait en connaître les premiers chapitres.

Marie — Ah... Oui, je comprends! J'étais de la maison autrichienne des Habsbourgs. Pendant que nous rectifions certaines idées fausses, je voudrais satisfaire la curiosité morbide des gens et affirmer que je n'ai jamais dit en parlant du peuple: « Qu'ils mangent des galettes ». Quant à l'infâme « collier de la reine » dont quelqu'un va sûrement parler, je ne l'ai jamais eu, je ne l'ai même jamais vu. Finalement, je n'étais pas nymphomane.

E. Fruitier — Plus tôt, vous nous avez parlé de jeu. N'est-il pas vrai que vous avez perdu des millions au jeu, Majesté?

Marie — Eh bien, oui, c'est vrai. Il m'est arrivé, une fois, de passer toute la journée et toute la nuit de la Toussaint à jouer.

More — De la Toussaint, Majesté?

Marie — Oui, n'est-ce pas épouvantable?

Marx — Majesté, vous êtes née en 1755, n'est-ce pas?

Marie — Je suis très flattée que vous vous en souveniez!

Marx — On se souvient plutôt de cette date comme celle d'un jour extrêmement tragique pour le Portugal; le jour du tremblement de terre de Lisbonne. C'était le matin de la Toussaint, messieurs, juste après le début de la grand-messe dans toutes les églises de la ville. Environ trente mille personnes sont mortes pendant qu'elles priaient. Majesté, croyez-vous, comme bien des gens, que la nature est, en quelque sorte, la main de Dieu?

E. Fruitier — La main de Dieu? Ici, au Québec, nous avons un expert sur ce sujet!

Marx — *(Impatient)* Majesté, croyez-vous, comme bien des gens, que la nature est, en quelque sorte, la main de Dieu?

Marie — Moi? Je... Oui!

Marx — Alors, pouvez-vous m'expliquer pourquoi Dieu a été si cruel envers les bons chrétiens de Lisbonne?

Marie — Euh... Dieu... cruel?

Pontiac — Le grand esprit n'est pas cruel; s'il a puni ses enfants portugais, c'est qu'ils avaient dû l'offenser.

More — Allons donc, Chef, nous savons tous que les désastres naturels sont des accidents et non pas des interventions divines.

Pontiac — Bon, croyez ce que vous voudrez.

Marx — Mais, il croit la même chose que vous, Pontiac. *Sa* Bible enseigne clairement que les calamités naturelles sont infligées par Dieu. Et dans le droit britannique, mon cher More, ne parlez-vous pas de ces désastres comme des « Acts of God », des « Actes de Dieu »?

More — Oui, mais c'est une expression plus poétique que littérale...

Marx — Dites plutôt une licence poétique!

More — Majesté, votre mère, Marie-Thérèse d'Autriche, était une grande impératrice, n'est-ce pas!

Marie — Si j'avais eu sa maîtrise de la politique, Sir Thomas, l'histoire de mon époque eut été différente. Je n'ai jamais eu d'influence sur les événements historiques. En fait, c'était plutôt le contraire; ainsi, c'est l'alliance entre la France et l'Autriche qui a été à l'origine de mon mariage.

Marx — *(Cinglant)* Et qui vous a valu une place dans l'histoire.

Marie — *(Pas très brillante)* Merci, monsieur.

Pontiac — Vous souvenez-vous des événements qui ont mené à l'alliance franco-autrichienne, Majesté?

Marie — Je crois que ce fut surtout l'oeuvre de ma mère, Chef.

Marx — Pour comprendre cette révolution diplomatique, messieurs, vous devez d'abord vous souvenir du drame historique de la Réforme protestante.

Pontiac — La Réforme protestante! Qu'est-ce que ça vient faire dans le mariage de Marie-Antoinette?

More — C'est la Réforme, Chef, qui a mis fin à la Renaissance, cette floraison de la culture et des arts, musique, architecture, sculpture, littérature, cette expansion de la puissance créatrice du monde catholique qui reste le plus grand sommet artistique de l'histoire.

Marx — Mais la Réforme était une réaction contre la corruption de l'Église, Sir Thomas!

More — Évidemment, monsieur Marx, mais elle a laissé l'Europe divisée, en proie au soupçon et à l'hostilité.

Marx — Allons, allons, Sir Thomas. L'Europe était déjà divisée. Mais êtes-vous en train de nous dire que le Réforme ne s'imposait pas?

More — Non, monsieur Marx. La Réforme était nécessaire; mais elle aurait dû se faire de l'intérieur de l'Église.

Marx — Voilà! Elle aurait dû, mais elle ne s'est pas faite et la Réforme protestante, c'est le prix que l'Église de Rome a payé pour ses fautes.

More — C'est une interprétation, mais il n'en reste pas moins qu'en fin de compte, l'Europe était divisée: les protestants contre les catholiques.

Marie — Oui... et Frédéric le Grand, cet affreux personnage, devint l'ennemi des nations catholiques.

Pontiac — Mais c'était un des grands chefs militaires de l'histoire !

Marx — Oui, mais il a fait fi des règlements et des démarches traditionnelles qui précédaient la guerre, la régissaient et lui conféraient une certaine moralité.

Marie — Ma mère considérait que la guerre est une chose si horrible qu'il faut absolument prendre des mesures pour la civiliser.

More — Elle avait raison, Majesté. Les règles d'une guerre civilisée devraient ressembler à celles qui régissent les crimes commis par des individus. On n'a pas le droit de tuer un individu soupçonné d'un crime. Il faut l'arrêter, lui faire subir un procès et lui donner la chance de se défendre. S'il est trouvé coupable, *alors seulement*, sa sentence est prononcée. De même pour la guerre, il devrait y avoir un semblant de civilisation. Il n'est pas vrai que tout soit permis, pas plus en amour qu'à la guerre.

E. Fruitier — Au sujet de la guerre, j'aimerais bien que Pontiac nous en parle.

Pontiac — Merci de me donner la parole, monsieur Fruitier ; j'ai justement bien des choses à dire là-dessus. Cependant, comme certaines d'entre elles pourraient vous paraître agressives, je veux d'abord dissiper tout doute quant à mes intentions. *(Il appelle en coulisse)* Shegenaba ! *(Shegenaba entre avec un calumet de paix blanc allumé, et le donne à Pontiac)* Fumons le calumet de paix pour souligner l'esprit pacifique dans lequel je vais parler. *(Il tend le calumet à Edgar)*

E. Fruitier — Je veux bien... mais qu'est-ce qu'il faut faire ?

Pontiac — Il faut aspirer la fumée trois fois.

E. Fruitier — Bon ! Bon ! *(Il s'exécute et va remettre le calumet à Pontiac)*

Pontiac — Non, moi je fume le dernier. *(Il donne le calumet à Shegenaba qui va l'offrir à Marie)*

Marie — *(Dédaigneuse)* Moi ! Jamais ! Quelle coutume barbare ! *(Shegenaba va à Thomas More qui s'exécute)*

Pontiac — La langue de la squaw de mon père, le roi de France, dit des paroles amères mais je suis ici dans un esprit pacifique ; j'enfouis ses paroles sous terre et je plante au-dessus d'elles des fleurs aromatiques pour les oublier à jamais.

(Pendant ce temps, Shegenaba va offrir le calumet à Marx qui, lui aussi, s'exécute, puis à Pontiac ; après quoi, Shegenaba se retire puis Pontiac continue)

Pontiac — Monsieur More, ma mère, vous venez de dire qu'il faudrait civiliser la guerre. Il est regrettable que les Anglais de mon époque n'aient pas mis en pratique ce souhait pieux.

More — Voulez-vous dire que les Anglais ont manqué de... « fair-play » envers vous et les vôtres, Chef ?

Pontiac — Précisément, monsieur More et à un point tel qu'on peut se demander aujourd'hui lequel des deux clans était le moins civilisé ou, comme vous disiez tout à l'heure, Majesté, le plus... sauvage.

More — Racontez-nous cela, Pontiac.

Pontiac — En 1763, le gouverneur anglais Jeffrey Amherst écrivait au Colonel Henry Bouquet: « Je souhaiterais qu'il n'y ait pas d'établissements indiens à mille milles à la ronde de notre pays ; ils sont plus près des bêtes que des humains et méritent de vivre avec les animaux sauvages ». La même année, il nous menaçait de « mesures qui mettraient fin à notre existence même » ; en somme, il nous menaçait de ce que vous appelez aujourd'hui génocide.

Marx — C'était un projet terrible, mais l'a-t-il mis à exécution ?

Pontiac — Oui, et d'une manière bien plus diabolique qu'on aurait pu imaginer. Devant les défaites répétées des troupes anglaises et leur incapacité de nous détruire par les armes, Amherst écrivit à Bouquet: « Ne serait-il pas possible de contaminer toutes ces tribus indiennes de la variole ? Il faut prendre tous les moyens en notre pouvoir pour les anéantir. »

E. Fruitier — Mais, c'est affreux, c'était la guerre bactériologique avant la lettre !

More — Qu'est-ce que Bouquet a répondu ?

Pontiac — Qu'il essaierait de nous transmettre cette maladie contagieuse en nous donnant, en guise de cadeaux, des couvertures imprégnées de son microbe.

Marx — Ne risquait-il pas de se contaminer lui-même ?

Pontiac — Oui et il en était conscient. C'est pourquoi il continue sa lettre en disant qu'il prendrait soin que ses hommes et lui ne l'attrapent pas.

More — C'est de la méchanceté préméditée ! Qu'est-il arrivé ?

Pontiac — On ne saura jamais si c'est le projet infernal d'Amherst qui en a été la cause mais, l'hiver suivant, une épidémie de variole a fait rage dans plusieurs tribus. Environ quatre-vingts Mingo et Delaware sont morts de la variole en plus d'un bon nombre de Shawano.

E. Fruitier — Quelle horreur !

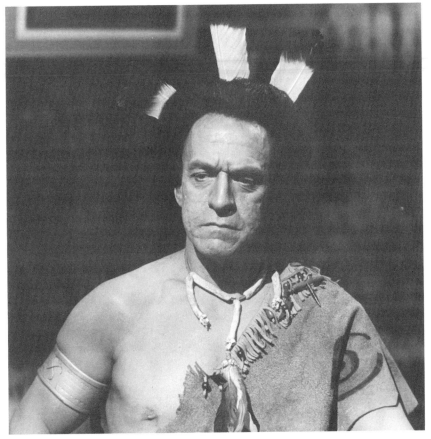

Pontiac *(Jacques Godin)*

Pontiac — Comme vous dites, frère, et ce n'est que le début. Sous prétexte qu'il ne voulait pas exposer ses hommes à nos attaques, Bouquet souhaitait pouvoir nous chasser avec des chiens. Il avait un plan en huit points, très élaboré et émaillé de détails tous plus raffinés les uns que les autres, comme : gardez les chiens en laisse, ça les rend plus féroces ; ou : plus il y a de chiens ensemble, plus ils sont féroces ; et : si vous tuez quelques Indiens, laissez vos chiens les déchiqueter et vous verrez les effets salutaires de cette méthode ; et, en conclusion : cinq cents hommes et cinq cents chiens seraient plus craints de deux mille Indiens que toute une armée de quelques milliers de nos braves soldats.

Marie — C'est épouvantable, mais êtes-vous certain que vous n'êtes pas en train de nous décrire vos méthodes sauv... indiennes ?

Pontiac — Ma mère, nous sommes peut-être rusés parfois, mais l'honneur nous défend de mentir. De toute façon, si vous voulez vérifier, vous trouverez toute cette correspondance, précieusement conservée au British Museum, à Londres.

Marx — Mais, Chef, qu'est-ce qui...

Pontiac — Permettez que je termine, monsieur Marx ; ensuite, je serai heureux de répondre à votre question.

Marx — D'accord.

Pontiac — Je veux vous relater une autre atrocité... dont ma mère ne pourra pas nous accuser. En commentant ma lettre où j'acceptais de faire la paix avec les Anglais, le major Gladwyn suggérait à ses supérieurs, au cas où ils voudraient nous punir encore davantage pour leur avoir résisté : « Vous pourriez les punir sans qu'il vous en coûte quoi que ce soit en leur vendant du rhum à volonté. Cela les détruira plus effectivement que le fer et le feu ». Et voilà pourquoi, ma mère, mes frères, je n'aime pas qu'on dise que nous étions sauvages et que les Anglais étaient civilisés et pourquoi aussi je regrette que les Anglais n'aient pas mis en pratique votre recommandation de réglementer et de civiliser la guerre.

(Il se lève et, dans son sac, prend quatre wampums, rouges avec un peu de noir, qu'il distribue à Marx, à More et à Marie, puis à Edgar. En les remettant il dit :)

Pontiac — Monsieur Max... Monsieur More... Celui-ci, c'est le collier de la reine... Mon frère Fruitier...

E. Fruitier — Pontiac, vous nous avez dit que votre discours serait fait dans un esprit pacifique et maintenant, vous nous donnez des wampums rouges et noirs qui sont les couleurs de la guerre et de la mort ; je ne comprends pas.

Pontiac — Le wampum, frère, représente les paroles que je viens de dire ; j'ai parlé pacifiquement mais j'ai parlé de guerre et de mort. Les perles sont des hiéroglyphes qui conservent mon discours pour la postérité, comme s'il était écrit. Si les enfants de vos enfants veulent savoir ce que j'ai dit aujourd'hui, qu'ils montrent ce wampum à un Indien et il leur répétera mes paroles. À condition que la... civilisation n'ait pas détruit tous les Indiens d'ici ce temps-là !

E. Fruitier — Toutes ces choses horribles vous sont arrivées parce que vous étiez en guerre contre les Anglais, mais c'est vous qui leur aviez déclaré la guerre.

Pontiac — *(Offensé)* Comment, c'est *moi* ! J'étais chez moi, nous étions chez nous, et ce sont les Anglais qui sont venus s'installer sur *notre* territoire.

Marie — Comme nous, Français, avions fait avant eux.

Pontiac — Oui, mais après la surprise et les difficultés du début, les Français nous ont traités humainement : ils ont tenu compte de notre entité, de nos traditions, de notre mode de vie. Ils ne nous ont pas enlevé notre territoire par la force ; ils ont négocié, fait des affaires avec nous comme avec n'importe quelle nation. Nous avons senti qu'ils ne nous voulaient pas de mal.

E. Fruitier — Ce doit donc être un de vos ancêtres qui a dit cette phrase, restée célèbre : « Français, je vous ai compris ! » Soyons sérieux ! Donc, vous vous entendiez bien avec les Français.

Pontiac — Plus que ça ; c'étaient nos compagnons, nos amis, nos frères. Il y a eu de nombreux... mariages inter-raciaux. Dans les grands centres de traite comme Hochelaga — c'était le nom de ce que vous appelez maintenant Montréal — Stadaconé, c'est-à-dire Québec, Trois-Rivières, nos chefs étaient reçus royalement, au son du tambour et des canons. Même le gouverneur nous serrait la main et participait à nos pourparlers et à nos fêtes. En plus de nous ravitailler à crédit avant notre départ pour la chasse en hiver, ils nous faisaient toujours de nombreux cadeaux.

More — Et pour cause : ça leur coûtait moins cher que de maintenir une armée dans vos territoires !

Pontiac — Ce n'était pas nécessaire: c'étaient nos frères! Quand ils ont eu besoin de nous, nous nous sommes battus à leur côté. Par exemple, nous les avons aidés à défaire Braddock au fort Duquesne sur la rivière Monongahéla.

E. Fruitier — Mais, pourquoi n'avez-vous pas essayé de vivre harmonieusement avec les Anglais comme vous l'aviez fait avec les Français?

Pontiac — Nous avons essayé pendant plusieurs lunes, mon frère; nous avons patienté quatre ans, de 1759 à 1763. Mais, commençons par le commencement. Avant la victoire des Anglais sur les Français en 1759, ces deux nations se surveillaient et se combattaient l'une l'autre. Entre les deux, nous avions, en quelque sorte, la balance du pouvoir et le respect de chacune d'elles. Dès 59, j'ai tendu aux Anglais la chaîne de l'amitié, mais ils ont refusé de prendre leur extrémité de cette chaîne qui aurait pu nous unir.

More — Vous voulez dire qu'ils ont refusé de traiter avec vous?

Pontiac — Non, ils ont refusé de traiter humainement et honnêtement. Dès le lendemain de leur victoire, ils se sont mis à construire des forts sur *nos* territoires à l'ouest des Alleghanys et à y installer *leurs* colons.

Marie — Mais c'était leur droit: ils avaient conquis ce territoire, ils pouvaient s'y établir.

Pontiac — Pardon, Majesté, ils avaient battu les Français et pouvaient occuper les terres que nous avions déjà cédées aux Français. Mais pas notre territoire à nous, pas le reste du Canada et de l'Amérique du Nord qui nous appartenaient et où nous vivions en paix sans faire de mal à personne.

More — Vous avez quand même fait le commerce des fourrures avec eux?

Pontiac — Oui, mais alors que les Français avaient interdit la vente d'alcool aux miens qui le supportaient très mal, c'est connu, les Anglais ont fait du rhum un objet de commerce, un agent d'avilissement de notre race. Quant à leurs méthodes de commerce avec nous, je vous réfère à une tragédie publiée chez J. Millan à Londres en 1766 et intitulée: « Pontiac ou les sauvages d'Amérique ».

E. Fruitier — Une pièce, sur vous, de votre vivant! C'est une chose dont bien peu de gens peuvent se vanter, même de nos jours! Mais une tragédie, ça ne prouve pas grand-chose, tout est laissé à l'imagination de l'auteur.

Pontiac — Parfois oui, mais dans ce cas-là, je vous assure que l'auteur s'est inspiré uniquement de la triste réalité. Au premier acte, un vieux marchand de fourrures anglais explique à un débutant comment fausser sa balance pour qu'elle indique trois fois moins que le poids réel des fourrures, étant donné que ce n'est pas un crime de tricher un Indien.

More — C'est du vol pur et simple.

Marx — C'est de l'exploitation, du capitalisme avant la lettre.

Pontiac — Ensuite, il lui apprend à servir aux Indiens, avant les négociations, du rhum rendu plus fort par des additifs, puis à leur donner, en guise de paiement, du rhum coupé d'eau.

More — C'est complètement immoral !

Pontiac — Pour l'immoralité, attendez la deuxième scène. Durant une expédition de chasse, deux Anglais tuent deux Indiens qui s'en allaient vendre des peaux, s'emparent de la fourrure, scalpent les Indiens et cachent leurs cadavres avant de s'enfuir.

E. Fruitier — Et c'est pour toutes ces choses que vous avez fait la guerre aux Anglais?

Pontiac — Oui, mais à mon corps défendant. C'était un cas de légitime défense, mais la guerre, c'est toujours dément. La guerre, ça veut dire tuer. Dans vos armées, un soldat est un homme qui est engagé pour tuer. La guerre c'est infect.

Marx — Une appréciation plutôt moderne de la guerre, n'est-ce pas, More?

More — Oui, mais c'est un point de vue que les fantassins de tous les âges ont dû partager.

Marx — Ce qui n'empêche pas qu'il se soit toujours trouvé des hommes pour choisir cette profession. Pourquoi?

More — Il semble qu'il y a des hommes qui sont enclins à se battre et à tuer comme d'autres sont doués pour la philosophie et la révolution.

E. Fruitier — Majesté, nous parlions de l'Alliance entre l'Autriche et la France; à quel moment de cette association commence votre drame personnel?

Marie — Euh... Au moment de ma naissance en 1755. Louis XV régnait en France et faisait la guerre à l'Angleterre. Dans son projet d'alliance avec la France, ma mère avait l'aide de madame de Pompadour, la maîtresse de Louis XV.

More — Votre mère vous donnait-elle beaucoup d'attention?

Marie — Non. Mon père était mort et ma mère consacrait tout son temps à la guerre. Elle nous voyait une fois par semaine, ma sœur Caroline et moi.

Pontiac — Qui s'occupait de vous?

Marie — Nous avons été élevées par une gouvernante allemande très patiente: la comtesse de Brandweiss.

More — Avez-vous eu une bonne éducation, Majesté?

Marie — Oh non, Sir Thomas, pas vraiment. J'ai appris quelques rudiments de musique de mon professeur, Gluck, mais autrement, rien. Je n'aimais pas la lecture et j'étais plutôt espiègle et dissipée. Rien ne m'intéressait sérieusement et je n'ai rien maîtrisé.

E. Fruitier — Vous êtes-vous ennuyée durant votre enfance, Majesté?

Marie — Jamais! Mes frères, mes sœurs et moi avons eu une enfance merveilleuse dans notre palais de Vienne. Je me souviens d'un soir où Mozart est venu nous donner un récital. Lui-même n'avait que six ans à l'époque. En se rendant au piano-forte, il a glissé sur le parquet ciré, est tombé, mais ne s'est pas fait mal. *(Elle sourit à ce souvenir)* Je l'ai aidé à se relever puis, je me suis assise, immobile, captivée par sa musique. Quel génie!

More — Six ans!

Marie — Oui, seulement!

Pontiac — Y avait-il une grande différence entre la cour de France et celle d'Autriche?

Marie — Moins qu'on ne croirait, Pontiac. La culture française était répandue à travers toute l'Europe et la cour de Vienne était plus française qu'autrichienne. Jeune fille, j'adorais la mode française. Ma coiffure et mes robes étaient françaises. J'ai même fait changer mon nom, de l'autrichien, Maria-Antonia, à Marie-Antoinette.

E. Fruitier — Comment se fait-il que votre sort se soit assimilé à celui de la France, Majesté?

Marie — En 1765, le dauphin, fils de Louis XV est mort. L'héritier du trône de France devenait donc le petit-fils du roi, Louis, un enfant de onze ans. Ma mère et son conseiller, Kaunitz, ont immédiatement échafaudé un plan pour me faire épouser ce garçon. Kaunitz c'était, en quelque sorte, notre Talleyrand à nous!

E. Fruitier — Est-ce que Louis XV avait été un bon roi?

Pontiac — Mon père, le roi de France, était un grand roi. Ah, si George III d'Angleterre avait été comme lui!

Marx — Louis n'était pourtant pas très doué pour les affaires de l'État! Il faut dire que la guerre de Sept Ans avait bien affaibli la France.

90

More — Pensez-vous, Majesté, que l'avènement de Madame du Barry comme maîtresse du roi ait marqué le début d'une certaine décadence?

Marie — Tout à fait, Sir Thomas. Sa maîtresse précédente, Madame de Pompadour, était charmante, mais la du Barry était une vulgaire fille!

Pontiac — Ah, tiens!

Marie — Madame de Pompadour était très populaire à la cour de Versailles tandis que la Du Barry y a fait scandale.

Marx — En 1770, votre mariage avait enfin scellé l'alliance franco-autrichienne.

Pontiac — Est-ce que ce mariage, organisé par des tiers, fut heureux, Majesté?

Marie — Heureux! Mais, Chef, je n'avais que quinze ans. Je n'avais pas du tout envie de quitter notre palais de Vienne. C'était un mariage de nom seulement: mon mari était impuissant. Plus tard, une opération a corrigé ce défaut, mais durant sept longues années, j'ai vécu un cauchemar.

E. Fruitier — Majesté, si ce n'est pas indiscret, aimiez-vous votre mari?

Marie — Je n'étais pas née pour aimer, j'étais née pour être reine!

Marx — Bon, admettons! mais vous avez quand même fini par aimer quelqu'un!

Marie — Oui, Herr Marx, le comte Axel de Fersen, un visiteur suédois à la cour de Versailles. Nous n'avions que dix-huit ans tous les deux lorsque nous nous sommes rencontrés à un bal masqué. Au début, il ne savait pas qui j'étais. C'était le plus bel homme que j'eusse jamais vu.

E. Fruitier — Vous aimiez beaucoup les parties de plaisir et les bals masqués, n'est-ce pas, Majesté?

Marie — Oh oui! Derrière un masque qui cachait mon identité, j'avais une délicieuse sensation de... liberté, que mon rang m'interdisait en d'autres temps.

E. Fruitier — Comment expliquer, Majesté, que le monde n'ait rien su de votre relation avec Fersen, le grand amour de votre vie, jusqu'à ce qu'on découvre vos lettres d'amour en Suède, cent ans plus tard?

Marie — Par respect pour le roi et pour le comte de Fersen, monsieur Fruitier, j'étais le plus discrète possible. Seuls quelques intimes étaient au courant.

Marx — J'oublie en quelle année le vieux roi Louis est mort.

Marie-Antoinette *(Elizabeth Le Sieur)*

Marie — En 1774 monsieur, l'année où je suis devenue reine de France.

Marx — Mais oui, en effet, c'était le jour du premier anniversaire du Boston Tea Party.

Pontiac — Votre peuple a dû pleurer un si bon roi, Majesté?

Marie — En effet. Le peuple tenait à la monarchie. C'était comme si *nous* avions appartenu au peuple au lieu de l'inverse. Nous étions beaucoup plus accessibles au peuple que vos premiers ministres et vos présidents ne le sont maintenant.

E. Fruitier — Vraiment?

Marie — Mais oui: nous vivions littéralement en public. Nous prenions nos repas dans d'immenses salles, souvent à la vue de milliers de personnes du peuple et c'était la même chose lors des services religieux. Certaines de nos activités les plus intimes se déroulaient, pour ainsi dire, devant un auditoire.

E. Fruitier — Que voulez-vous dire?

Marie — Nos serviteurs nous vêtaient et nous dévêtaient, non pas dans l'intimité, mais en présence d'une escorte de serviteurs, de courtisans et de courtisanes. Croiriez-vous qu'un grand nombre de gens, entassés dans ma chambre, ont assisté à la naissance de chacun de mes enfants.

Pontiac — Drôle de civilisation!

Marie — En tant que reine, je ne pouvais pas prendre une gorgée d'eau toute seule, même au milieu de la nuit. La coutume voulait que ce soit la femme présente, dont le rang était le plus élevé, qui m'offre la coupe.

Marx — Vous n'avez jamais pensé qu'un tel rituel, que des coutumes aussi superflues finiraient par miner le respect du peuple envers la monarchie?

Marie — Quelle sottise, monsieur Marx; le peuple adorait le rituel et les coutumes!

More — C'est juste monsieur Marx. Considérez les cérémonies qui entourent la mort d'un être cher. Elles sont faites pour le bénéfice des survivants et non pas du défunt. Sans elles, bien des gens ne pourraient pas exprimer leur chagrin. De la même manière, les rites entourant la monarchie permettaient aux gens d'exprimer leur respect envers elle. Même aujourd'hui, vos pays communistes ne sont pas dépourvus de pompe et de cérémonies.

E. Fruitier — Pour revenir à la révolution, ce sont les philosophes et leurs pensées qui ont « amené » la révolution, n'est-ce pas?

Marx — Il ne fait pas de doute que les penseurs du « Siècle des lumières » ont contribué à l'avènement de la révolution, mais il ne faut pas ignorer le facteur économique. Durant le règne de sa majesté et de Louis XVI, les finances de la France étaient dans un état lamentable.

Marie — Je n'en savais à peu près rien à l'époque.

Marx — C'est bien ce que je pensais !

Marie — Il faut vous rendre compte qu'en 1776, je n'avais que 21 ans. Malheureusement, même des événements aussi importants que la révolution américaine n'avaient que peu d'intérêt pour moi.

Pontiac — Mmmm ! Mmmmm ! ! !

More — Majesté, le bruit courait dans votre temps, que vous n'étiez pas complètement loyale envers la France. Croyez-vous que vos origines autrichiennes y étaient pour quelque chose ?

Marie — Peut-être.

Marx — Vous faites allusion à l'affaire de la Bavière, Sir Thomas ; en 1778, l'Autriche d'une part, sous le règne de l'empereur Joseph, le frère de Sa Majesté et la Prusse de Frédéric d'autre part, se disputaient la Bavière.

Marie — Ma mère voulait que je fasse pencher la France du côté de l'Autriche. Devant mon insistance, le roi a cédé, mais cela a entraîné d'énormes dépenses pour la France. C'est pourquoi on m'a accusée de gaspiller l'or de la France à des fins qui ne lui étaient pas utiles. Mais, tout cela a vite été oublié quand la cour a appris que j'allais donner naissance à un héritier.

More — Un héritier, c'était important, j'en sais quelque chose !

Marie — Le 19 décembre, la cour a été invitée à assister à l'accouchement et des centaines de gens sont accourus, de plusieurs lieues à la ronde. Malheureusement, j'ai donné naissance à une fille, ce qui a fort déçu le peuple.

More — Mais plus tard, vous avez eu un fils.

Marie — J'en ai eu deux. Je me souviens en 1780, quand mon deuxième enfant est né, j'ai dit à mes médecins: «J'ai été une bonne patiente... dites-moi la vérité». Je craignais d'avoir encore une fille, mais le roi est entré et m'a dit, souriant: «Le dauphin demande la permission de vous voir Madame». Oh, ce fut un des moments les plus heureux de ma vie ! ! !

Marx — Est-ce qu'un certain collier de diamants, auquel Pontiac a fait allusion plus tôt, n'a pas contribué à votre impopularité à Paris ?

Marie — J'aurais dû me douter que vous, monsieur Marx, alliez relever cette affaire ! Pourtant, en tant qu'historien, vous devez savoir que j'ai été accusée injustement. De toute façon je ne veux pas vous ennuyer avec tous les détails sordides...

E. Fruitier — Au contraire, Majesté, racontez-nous.

Marie — Une affreuse femme, la comtesse de La Motte, a dupé son amant, l'ignare cardinal de Rohan. Elle a fabriqué des faux qui laissaient croire que je voulais acheter ce collier outrageusement coûteux, ce qui n'était pas du tout le cas.

Marx — Majesté, ce n'était pas inhabituel à l'époque et à toutes les époques d'ailleurs, même aujourd'hui, d'être à la fois cardinal, idiot et fourbe, n'est-ce pas?

Marie — Hélas non! L'Église était affligée de nombreux scandales. Cela permettait aux intellectuels qui attaquaient la foi de citer en exemple plusieurs ecclésiastiques qui n'étaient que de vulgaires pécheurs avides de pouvoir.

Marx — Selon vous, Majesté, quelles ont été les causes de la révolution?

Marie — Ah mon Dieu! Je ne saurais vous répondre avec certitude. Un tel désastre a dû avoir de nombreuses causes. Je crois que l'hostilité de certains membres de la noblesse y a été pour beaucoup.

E. Fruitier — Qui, par exemple?

Marie — *(Elle essaie de se souvenir)* Voyons...

Marx — Le baron de Montesquieu, entre autres. Dans son livre, « L'esprit des lois », publié en 1748, il attaquait la monarchie française avec virulence.

Marie — Oui, et puis aussi, l'affreux François-Marie Arouet, mieux connu sous son pseudonyme de Voltaire. Il a passé une grande partie de sa vie en Angleterre et à Genève. Il n'osait plus vivre en France à la suite de ses écrits contre la monarchie et contre l'Église.

Marx — Voltaire prônait la démocratie et la liberté religieuse. Il est bien évident que la monarchie catholique française ne pouvait pas être d'accord !

More — *(Insidieux)* Plus tard, Herr Marx, vous voudrez peut-être nous dire ce que vous pensez de la démocratie et de la liberté religieuse chez les nations communistes d'aujourd'hui.

Marx — *(Furieux)* Et comment !

Marie — Un autre terrible fauteur de troubles, c'était Jean-Jacques Rousseau, un homme confus, dérangé.

Marx — Il rejetait les systèmes anciens aussi bien que l'importance philosophique du pouvoir de la raison.

Marie — Il a écrit un livre idiot intitulé: « Du contrat social ». Évidemment, j'ai refusé de le lire. Je dois vous avouer, d'ailleurs, que je n'ai jamais achevé la lecture d'un seul livre. Toutefois, mes amis m'ont dit que cet ignorant osait s'attaquer à la civilisation, qui n'était pourtant pas tellement répandue alors! Il prétendait que la civilisation corrompait la... « bonté naturelle » de l'homme. Je n'ai jamais entendu d'idée plus stupide.

Pontiac — Qu'est-ce, au juste, qui vous agaçait tellement cnez Rousseau?

Marie — Mais, son manque de respect pour la monarchie, pour la noblesse et pour toutes les institutions importantes.

Marx — Rousseau, mon cher Pontiac, brandissait le mot « liberté » devant le peuple comme si c'était un emblème magique aussi puissant qu'un crucifix. Personne ne peut prétendre que la liberté soit un mal, mais le mot liberté n'a aucun sens si on ne pose pas la question: « Liberté de faire quoi? » Rousseau flattait l'homme du peuple en lui disant qu'il était, en puissance, une espèce d'esprit libre idéal.

Marie — Pour se rendre compte que c'est l'inverse qui est vrai, on n'a qu'à observer certains hommes du peuple qu'on a le malheur de rencontrer! Je suis loin d'être un philosophe, messieurs, mais je crois comprendre ce qu'est la vertu et ce qu'elle n'est pas. Eh bien, je sais que monsieur Rousseau était un voleur et un vaurien.

More — Pouvez-vous nous expliquer pourquoi, Majesté?

Marie — Rousseau eut une liaison avec une pauvre fille nommée Thérèse Levasseur, une bonniche. Il vécut avec elle le reste de ses jours, et lui fit cinq enfants qu'il alla tous porter à la crèche dès leur naissance. Il se piquait d'admirer le « noble sauvage » mais lui-même n'était qu'un sauvage sans la moindre noblesse.

Pontiac — Sachez que chez nous, Majesté, l'un ne va pas sans l'autre! Ma mère a la langue tellement fourchue qu'on se demande si c'est à Rousseau ou à moi qu'elle s'attaque!

More — Et si c'est à Rousseau, est-ce que Herr Marx va laisser détruire un de ses héros sans le défendre?

Marx — Héros, c'est un bien grand mot. Il est vrai que j'ai basé ma philosophie sur une certaine supériorité morale qu'on trouve, à mon avis, dans les masses, mais pas dans l'aristocratie dépravée et débauchée. Je ne fais pas allusion à la présente compagnie.

Marie — On m'a traitée de bien pis que cela dans mon temps!

More — En voyant la violence du siècle présent, monsieur Marx, votre foi, votre opinion romantique des masses n'est-elle pas ébranlée?

Marx — J'avoue que oui, parfois. Mais vous ne pouvez pas me reprocher tous les crimes, toutes les folies qui ont été commises en mon nom au cours des cent dernières années. À moins que vous ne reprochiez aussi au Christ les tueries des croisades, le massacre des huguenots, la terreur de l'Inquisition et les sorcières au bûcher.

More — Les atrocités commises par les chrétiens l'ont été, monsieur, par des gens qui avaient oublié ou déformé les enseignements du Christ. Est-ce que Staline a perpétré ses crimes et ses atrocités à l'encontre de vos principes ou en accord avec eux, monsieur Marx?

Marx — Le sang de millions de paysans ukrainiens et de tous ceux qui ont été tués par Staline rejaillit sur *sa* tête et non pas sur la mienne. J'ai prêché une doctrine qui voulait rapprocher les hommes et non pas les éloigner les uns des autres. J'ai pensé que, si on pouvait émanciper l'homme des pressions de la superstition et de la tyrannie, l'esprit humain pourrait enfin utiliser sa capacité de penser, de jouir de la beauté et des plaisirs de la vie.

J'ai soutenu que le système de la propriété privée et l'exploitation égocentrique qui en découle font que certains humains sont pauvres et misérables et d'autres, riches et égoïstes. Abolissez la possession privée des propriétés importantes, laissez le peuple, le prolétariat contrôler le pays et toutes les classes disparaîtront, l'humanité deviendra une fraternité d'égaux. Finalement, je voudrais vous souligner respectueusement, Sir Thomas, qu'en dépit du succès de votre appel aux émotions de l'auditoire de monsieur Fruitier, vos arguments ne tiennent pas.

More — Comment cela?

Marx — Vous avez vous-même concédé que les atrocités perpétrées par les chrétiens contrevenaient aux enseignements du Christ. La faille de votre position consiste en ceci: ça ne veut absolument rien dire que vous, en tant que chrétien, fassiez cette courtoise concession parce que vous n'êtes pas personnellement responsable des atrocités. Pour être convaincante, la concession devrait venir des coupables eux-mêmes.

Pontiac — Un moment, monsieur Marx. Le fait que Sir Thomas est lui-même un bon chrétien lui permet d'affirmer que...

More — Merci, Chef, mais monsieur Marx a raison. Il eut mieux valu que les coupables eux-mêmes confessent leurs crimes. Malheureusement, et l'histoire ne laisse aucun doute là-dessus, ils n'en ont rien fait. Le pire c'est que tous ces crimes aient été endossés et soi-disant justifiés par les autorités religieuses de l'époque. Néanmoins, reconnaissez-vous, comme moi, qu'un second tort ne compense pas le premier ?

Marx — Oui, oui.

More — Alors, je suis satisfait parce que j'essaie seulement de mettre en évidence les vérités morales. Je crois que c'est plus facile de comprendre la philosophie de Marx si on la considère non pas comme un système étranger à la tradition occidentale, mais plutôt comme une hérésie chrétienne. En effet, les Écritures nous enseignent que l'amour de l'argent est la source du mal. Il y a beaucoup de chrétiens qui rendent un culte indu à l'argent et à sa puissance. *(Au public)* Karl Marx aurait vécu et serait mort dans l'obscurité si les chrétiens de l'Europe du XIX⁵ siècle et leurs prédécesseurs n'avaient pas failli à leurs responsabilités morales.

Marie — Que voulez-vous dire ?

More — S'il n'y avait pas eu tellement de souffrance, de pauvreté, de dégradation et d'injustice sociale dans l'Europe chrétienne, Karl Marx ne se serait pas senti forcé de pousser son immense cri de protestation sociale.

E. Fruitier — La révolution française était également un immense cri de protestation sociale. Majesté, est-ce qu'on sait quand elle a commencé ?

Marie — Probablement pas. Bien qu'avec le recul, il me semble qu'une des premières sonneries de trompette de la révolution se soit fait entendre en 1784, quand Beaumarchais a présenté son *Mariage de Figaro*. Cette satire contre l'ordre établi eut un énorme succès. Une pièce dans laquelle un valet se montre plus malin que son maître n'a rien de surprenant aujourd'hui, mais à l'époque ce fut, c'est le cas de le dire, un coup de théâtre audacieux.

Marx — Alors, pourquoi avez-vous créé *vous-même* le rôle de Rosine dans la première présentation publique de cette pièce que *vous* aviez vous-même montée à *votre* théâtre du Trianon, alors que le roi avait interdit la pièce durant plusieurs années ?

Marie — Je sais que ce n'était pas très sage de ma part, Herr Marx, mais c'est un si joli rôle !

E. Fruitier — À quel moment diriez-vous que la bataille pour sauver la monarchie a été finalement perdue ?

Marie — Probablement en 1787, monsieur Fruitier. La dépression sévissait. Dieu et la nature semblaient conspirer contre nous. Oh, non pardon, c'était en 1788. Les récoltes avaient été bien maigres et j'ai su qu'il y avait une sérieuse disette de vivres dans plusieurs parties du pays. Je me souviens... nous avions célébré cela en mettant des petits gâteaux et des biscuits dans nos coiffures.

Pontiac — Plus j'entends parler de la civilisation, plus je suis heureux de ne pas l'avoir *subie* !

E. Fruitier — Avez-vous vraiment... *célébré* les privations des pauvres de France?

Marx — Oui messieurs, c'est *vraiment* arrivé! Et la morale de cette anecdote c'est que la révolution était inévitable, en France aussi bien que dans mon pays. De plus, je me permets de vous rappeler, Majesté, que votre pays était en banqueroute. La situation s'était tellement détériorée que le roi a dû convoquer les États Généraux, c'est-à-dire le parlement français, qui ne s'était pas réuni depuis 1614. Le parlement fut indiscipliné, les murs de la monarchie commençaient à s'écrouler, la révolution s'amorçait.

Pontiac — Est-ce que ce sont surtout les classes inférieures de la société qui ont été responsables du soulèvement, Majesté?

Marie — Non, Chef. Le peuple nous aimait. Ce sont des nobles jaloux qui ont été les premiers fomentateurs.

Marx — Oui, mais plus tard c'est la bourgeoisie, la classe moyenne des grandes villes qui a constitué la plus grande force d'opposition à la couronne. Ces gens-là devenaient instruits, puissants et ambitieux. Évidemment, ils s'offusquaient de voir tous les parasites sans cervelle qui fourmillaient à Versailles. Je ne fais pas allusion à vous, Majesté !

Marie — Ça me laisse froide! On me détestait à cause de mes origines autrichiennes et...

Marx — Permettez que je termine, Majesté; je crois qu'il y a un autre facteur qui a beaucoup d'importance.

Marie — Ah! Lequel !

Marx — Vos interventions fréquentes et suspectes dans les affaires de l'État.

Marie — Monsieur Marx, vous oubliez que j'étais reine de France, que le roi était doté d'une intelligence médiocre et qu'il ne savait pas prendre de décisions! Quelle épouse n'aurait pas conseillé son mari dans de telles circonstances?

Marx — C'est précisément ce que je vous reproche, madame! Quand on a passé sa vie à danser, à jouer et à se mettre des brimborions dans les cheveux; quand on se vante de n'avoir rien appris et de n'avoir jamais lu un seul livre, on ne se mêle pas de conseiller un chef d'État. D'ailleurs, voyez ce que ça a donné!

More — À quel moment les premières vagues de la révolution ont-elles déferlé sur le palais de Versailles, Majesté?

Marie — C'est à l'automne de 1789 que la cohue parisienne est venue nous menacer, Sir Thomas. C'était terrifiant! Jusque-là je n'avais jamais vu une foule en colère se soulever contre nous. Je n'oublierai jamais le son des foules hurlant, les coups de feu, la fumée et les flammes au loin. Puis, finalement, le sourd martèlement des pas d'une armée de femmes qui, depuis Paris, avaient marché six heures sous la pluie.

E. Fruitier — Pourquoi des femmes?

Marie — Je ne sais pas, tout était tellement confus.

E. Fruitier — On raconte que ceux qui avaient fomenté cette attaque avaient délibérément empêché la livraison de pain à Paris pendant deux jours pour mettre les ménagères en furie.

Marx — De plus, et c'est encore une chose dont sa majesté ne pouvait pas se douter à l'époque, les meneurs savaient que les troupes n'oseraient pas tirer sur des femmes sans armes.

Marie — Et ces femmes, parmi lesquelles il y avait bon nombre de prostituées et de marchandes de poissons, nous lançaient des injures plus vulgaires et plus choquantes que ce que des hommes auraient pu imaginer. J'ai appris plus tard que, dans la foule, il y avait aussi des agitateurs travestis.

E. Fruitier — Qui avait organisé cet assaut?

Marx — Plusieurs hommes, monsieur Fruitier, dont deux bien connus de Sa Majesté: le duc d'Orléans et le comte de Provence, le propre frère du roi.

Marie — De vrais traîtres!

Pontiac — J'ai su, Majesté, que le grand héros Lafayette — qui s'est distingué en aidant les Américains à se débarrasser des Anglais — que Lafayette avait tenté de vous aider. Que s'est-il passé au juste?

Marie — Avec ses vingt mille hommes, Lafayette n'est arrivé qu'à minuit; la situation était déjà devenue incontrôlable. Après avoir pris la grande prison de Paris, la Bastille, la foule a été soudainement saisie d'une frénésie qui tenait à la fois de la jubilation et de la barbarie. Les femmes déléguèrent un petit groupe d'entre elles que le roi reçut. Sa présence et son impartialité les calmèrent temporairement. Mais à cinq heures du matin, des centaines d'insurgés ivres ont fait irruption dans le palais en criant: « Chez la reine! » Ils se sont précipités vers mes appartements, ont assassiné mes gardes du corps et commencé à enfoncer ma porte.

E. Fruitier — Quelle histoire!

Marie — Heureusement, une dame de compagnie m'a éveillée. J'ai sauté hors du lit et, sans prendre le temps de m'habiller, me suis enfuie vers les appartements du roi.

More — Était-il éveillé?

Marie — Je ne sais pas. Nous avons frappé à sa porte presque à nous ensanglanter les jointures des doigts pendant que la populace criait des obscénités et fracassait mes meubles tout en me cherchant. Au dernier moment, on a ouvert les portes et nous avons eu la vie sauve.

Pontiac — Avaient-ils l'intention de tuer le roi?

Marx — Non, pas du tout, ils voulaient seulement réaffirmer que le roi leur appartenait, qu'il était leur propriété et qu'il devait régner parmi eux à Paris au lieu de vivre dans le lointain palais de Versailles.

Marie — Vraiment Herr Marx! Eh bien, moi je vous dis que si ces brutes m'avaient attrapée, elles m'auraient mise en pièces, membre par membre.

E. Fruitier — Oui, mais qu'est-ce qui est vraiment arrivé?

Marie — Ils ont d'abord exigé que le roi apparaisse au balcon; puis, ensuite moi. Lafayette nous a fait comprendre que nous ne pouvions pas nous soustraire à cette pénible confrontation. La terreur s'est emparée de nous à la vue de la foule d'où pointaient des mousquets braqués sur nous; puis, une chose bizarre est arrivée.

E. Fruitier — Quoi donc?

Marie — Cette meute furieuse qui venait d'assassiner mes gardes du corps et de menacer ma vie, à la vue du roi puis de moi-même, cette meute s'est mise à nous acclamer: Vive le roi! Vive la reine! C'était vraiment très étrange.

Marx — Vous voyez: ils voulaient seulement vous faire retourner à l'ancien palais des Tuileries.

E. Fruitier — Plus tard, vous avez tenté de vous enfuir, n'est-ce pas?

Marie — Oui. Mirabeau nous avait prévenus: « Le roi ne se sauve pas de son peuple. » Mais, nous craignions pour nos vies. Nous nous sommes évadés dans un magnifique carosse que mon cher

101

comte de Fersen avait fait construire pour nous. Il était assez grand pour que les cinq membres de notre famille y prennent place. Durant le trajet, tous les repas nous ont été présentés sur le service royal en argent.

E. Fruitier — Ne croyez-vous pas, maintenant, que ce fut une erreur de voyager dans un tel luxe?

Marie — Probablement, puisque nous avons été reconnus. Nous allions atteindre la frontière, nous étions presque saufs quand on nous a reconnus et arrêtés.

Marx — En avril 1792, l'Assemblée française a déclaré la guerre à l'Autriche. En tant qu'Autrichienne, sa majesté devenait donc une ennemie, sa cause était perdue.

Marie — Prise de panique, j'ai prié Dieu qu'il nous venge de toutes les provocations que la France nous avait faites. Je n'avais jamais été aussi fière de mes origines germaniques. Nous avons été emprisonnés dans la tour du Temple. À partir de ce moment-là, notre existence a été un cauchemar ininterrompu. Dans les rues, la foule, à moitié folle, était encore assoiffée de sang. Un jour ils ont assassiné une de mes meilleures amies, madame de Lamballe. Ils ont décapité son corps nu et planté sa tête sur une longue pique qu'ils ont installée devant nos fenêtres. C'est en vain que le roi a essayé de m'empêcher de la voir. À cette vue, je me suis évanouie.

More — Quel étrange mystère que les guerres civiles soient les plus barbares.

Marx — C'est souvent le cas.

Marie — Finalement, je savais que c'était inévitable, arriva la dernière nuit que notre famille devait passer ensemble. Nous étions assis tout près les uns des autres. Paternellement, affectueusement, le roi a mis ses mains sur les épaules du petit Louis et lui a dit de ne jamais penser à venger la mort de son père.

More — *(Avec compassion)* Majesté, l'histoire nous a maintenant appris que votre infortuné mari était un homme sans talent et sans charme. Nous savons que vous vous êtes mariée pour des raisons d'État et, qu'en l'absence d'amour, votre cœur s'était spontanément tourné vers Fersen. Et pourtant, en parlant de votre mari, votre voix est pleine de tendresse et de pitié.

Marie — Merci, Sir Thomas. Pendant de longues années, Louis et moi avons vécu chacun notre vie. Cependant, je lui avais consciencieusement donné quatre enfants, et, si étrange que cela semble, durant les derniers jours, nous vivions enfin comme une famille. Nous partagions les mêmes appartements, la même table, les mêmes émotions engendrées par nos souffrances.

Quand nous avons fait face à la mort ensemble, une grande affection pour le pauvre homme a surgi en moi... C'était un père chaleureux, plein d'égards et un mari toujours gentil. J'ai été la seule femme qu'il ait jamais aimée. Il était faible, mais il n'était pas méchant. J'avais pitié de lui et, à la fin, je l'ai aimé! Cette dernière nuit, avant qu'il aille se coucher, je lui ai dit: « Promettez-moi que nous nous reverrons ». Il a pris mes mains dans les siennes: « Je vous verrai demain matin avant de partir » dit-il calmement. Mais, il défendit à ses serviteurs de nous informer de l'heure de son départ. À six heures le lendemain matin, il faisait froid et noir quand le garde du roi vint chercher son livre de prières. La tour était silencieuse mais j'entendis des voix dans la cour. *(Elle respire profondément)* À dix heures du matin, j'entendis un cri effrayant venant de la foule au loin... et je sus que mon mari était mort. *(Elle se tait et pleure)*.

More — Je suis très ému par le récit des malheurs de sa Majesté mais je ne peux m'empêcher de penser à tous les maux qui ont été répandus sur notre monde par les nations-états, par la populace marchant derrière un drapeau.

Marx — *(Se contrôlant)* Mais, Sir Thomas, pourquoi le peuple serait-il plus civilisé que la nation dont il fait partie? Écoutez bien ceci: si un homme ne se considère pas soumis aux lois, nous disons que c'est un criminel. Mais les nations se sont toujours comportées d'une manière tout aussi criminelle. Une nation ment, assassine, triche, vole, elle fait n'importe quoi pour se protéger et pourtant, elle emprisonne ses citoyens lorsqu'ils font exactement la même chose. C'est pourquoi j'ai prêché l'internationalisme, une nouvelle société où notre loyauté serait axée sur toute la fraternité humaine et pas seulement sur l'Allemagne ou le Canada ou la Chine.

Pontiac — Oui mais, Herr Marx, vous voulez que tout cela soit chapeauté par le communisme.

Marx — *(Agressif)* Mon cher Pontiac, je sais *trop* bien que mes disciples ont fait des erreurs et que certaines critiques du communisme sont fondées; cependant, ceux qui les formulent ne font rien pour résoudre les problèmes sérieux qui ont donné naissance à ce même communisme. Le problème principal c'est la pauvreté mondiale. Supposons que le communisme sous toutes ses formes disparaisse de la face de la terre ce soir même. *(Il fait claquer ses doigts)* comme ça! En vous éveillant demain matin, vous constateriez que la moitié du monde vit encore dans la pauvreté et la misère! Vous les Canadiens, avez-vous une solution à proposer?

E. Fruitier — Notre aide aux pays du tiers monde est certainement un pas....

Marx — L'aide aux pays du tiers monde? Êtes-vous sérieux? Vous donnez comparativement peu aux pays en voie de développement, et si peu que ce soit c'est donné en dépit des objections de plusieurs d'entre vous. Vous ne vous rendez pas compte que l'aide à l'étranger n'est pas la solution au problème principal? C'est comme donner de l'aspirine à quelqu'un qui a le cancer. Après toutes vos diatribes contre les Goulags, les travaux forcés, le mur de Berlin et le reste, vous vous retrouvez toujours en face de la moitié du monde qui a faim et qui s'impatiente. Ne percevez-vous pas qu'il va falloir changer le système? Vos solutions économiques ont réussi assez bien pour la plupart des habitants de vos grandes villes, pas tous, loin de là, mais la plupart... Mais elles n'ont pas fait de miracles pour les millions de pauvres d'Asie, d'Afrique et d'Amérique latine. C'est là que se trouve le gros de votre problème, là et dans les quartiers pauvres de vos métropoles. Nous, communistes, croyons avoir trouvé la solution. Je crois que l'histoire démontrera que notre solution était *la* bonne, bien qu'il reste toujours une vague possibilité que je me sois trompé. Vous n'avez pratiquement pas de solution. Et la plupart d'entre vous ne voyez même pas qu'il y a un problème qui réclame une solution à grands cris. Je vous dis ceci: jusqu'à ce que vous offriez un rayon d'espoir *réel* aux multitudes d'affamés de la terre, ils vous riront au nez quand vous leur prêcherez vos sermons anti-communistes!

Pontiac — Que le monde occidental ait une solution ou non ne rend pas la vôtre valable. Dites-moi ceci: si le communisme est si admirable, comment se fait-il qu'il y ait des millions de gens qui essaient de s'évader des pays communistes mais à peu près personne qui essaie d'y entrer?

Marx — Mais vous ne voyez pas que...

E. Fruitier — Majesté! Messieurs! Il y a encore beaucoup de terrain à couvrir. Je sais que monsieur Marx voudrait bien répondre à votre question, Pontiac...

Marx — En effet!

E. Fruitier — Mais malheureusement, il ne nous reste plus de temps. J'espère que vous pourrez participer à notre prochaine émission pour continuer notre discussion. Est-ce possible?

Marx — Certainement, monsieur Fruitier, et j'insiste!

(Les autres murmurent leur assentiment)

Karl Marx *(Jean Fontaine)*

E. Fruitier — Très bien. Lors du retour de nos distingués invités, nous demanderons à Sa Majesté de raconter son procès et sa mort aux mains des révolutionnaires; à Karl Marx d'exposer plus avant ses théories qui ont bouleversé le monde; à notre cher Pontiac de nous parler de la stratégie qu'il a utilisée contre les Anglais; et à Sir Thomas de nous rappeler le drame d'Henri VIII.

Marx — Nous parlerez-vous aussi de votre célèbre Utopie, Sir Thomas?

More — Avec plaisir.

E. Fruitier — Très bien... Merci à tous... Au revoir.

2

deuxième partie

(Edgar Fruitier entre et s'avance vers son fauteuil, la caméra découvre Marie, More et Marx en conversation devant le foyer)

E. Fruitier — Bonsoir. Nos invités semblent avoir déjà repris leur discussion mais... Pontiac n'est pas là! *(Aux trois autres)* Avez-vous vu Pontiac?

More — Oui, il est à côté mais n'a pas jugé correct de venir avant que vous ne le présentiez.

E. Fruitier — Qu'à cela ne tienne! Mesdames, messieurs, le grand chef de la tribu des Outaouais et de plusieurs autres tribus de la région des grands lacs, Pontiac.

(Pontiac entre, sans plumes, vêtu de l'uniforme bleu et gris des officiers de l'armée française, sauf les bottes: il est en mocassins. Tous le regardent, ébahis de son accoutrement)

Mais, qu'est-ce que vous faites en uniforme de l'armée française? Où avez-vous trouvé cet accoutrement?

Pontiac — Je ne l'ai pas trouvé, c'est un cadeau que j'ai reçu de mon ami, le marquis de Montcalm, peu avant sa mort.

E. Fruitier — Le portiez-vous?

Pontiac — Pas régulièrement, c'eut été de mauvais goût! Je l'ai revêtu lors de quelques réunions importantes des conseils de tribus que je présidais.

E. Fruitier — Je remarque que vous êtes chaussé de mocassins; Montcalm ne vous a-t-il pas donné de bottes?

Pontiac — Oui, mais ce sont des chaussures que nous ne pouvions pas porter.

E. Fruitier — Ah, tiens! Pourquoi?

Pontiac — Il aurait fallu nous habituer à monter sur des talons, ce qui n'était pas facile et n'aurait pas été très pratique dans la forêt. De toute façon, nous n'étions pas à l'aise dans ces longues choses rigides, et puis, nous aurions dû nous déchausser avant d'embarquer dans nos canoes, de crainte de les défoncer.

E. Fruitier — Je vois. *(Aux autres)* Si nous prenions place! *(Il va vers la chaise de Marie et la tire en disant)* Majesté!

(Marie vient s'asseoir et le remercie pendant que les autres puis Edgar en font autant)

Vous connaissez déjà Pontiac; avant de commencer notre conversation, je vais présenter nos autres invités à ceux qui n'auraient pas eu la chance de les voir la semaine dernière. D'abord, Sa Majesté Marie-Antoinette, reine de France.

Marie — Bonsoir.

E. Fruitier — Le lord chancelier d'Angleterre sous Henri VIII, « Un homme pour l'éternité » comme on l'a appelé au cinéma, Sir Thomas More.

More — Bonsoir.

E. Fruitier — Finalement, notre quatrième visiteur, le penseur le plus influent depuis l'avènement du christianisme, philosophe et écrivain: Karl Marx.

Marx — Bonsoir. *(Un temps)* Tiens, personne pour me huer ce soir?

E. Fruitier — Je dois expliquer à nos nouveaux téléspectateurs que, la semaine dernière, lorsque j'ai présenté monsieur Marx, certaines personnes de l'auditoire ont manifesté leur mécontentement.

Marx — Je comprends très bien cela, monsieur Fruitier. Le Canada est un pays libre et ceux qui ne sont pas d'accord avec moi ont le droit de s'exprimer.

E. Fruitier — Chef, nous avons beaucoup parlé de guerre la semaine dernière, peut-être voudrez-vous nous parler de vos tactiques militaires.

Pontiac — Avec plaisir. Mais d'abord, en tant que... guerrier, puisqu'il n'y avait pas de généraux chez nous, je voudrais bien poser une question à Sa Majesté!

E. Fruitier — Allez-y!

Pontiac — Majesté, vous nous avez raconté comment Lafayette, à la tête de vingt mille soldats, était arrivé trop tard pour vous protéger contre la meute parisienne qui avait envahi le palais de Versailles. Lafayette est un héros qui a chassé les Anglais hors des États-Unis et je l'ai toujours considéré comme un grand général. Cependant, je crois que si j'avais été là avec une armée de vingt mille hommes, j'aurais pu vous emmener en lieu sûr, vous et mon père le roi de France. Pourquoi Lafayette n'a-t-il pas réussi?

Marie — Je crains que le roi et moi ne soyons responsables de cet échec.

Pontiac — Comment cela, Majesté?

Marie — Nous n'avions pas complètement confiance en Lafayette parce qu'il partageait certaines des idées des révolutionnaires. De plus, la confusion la plus totale régnait à ce moment-là. Nous ne savions même pas que la populace s'en venait de Paris jusqu'à ce que mon cher ami, le comte Axel de Fersen, achève une essoufflante chevauchée pour venir nous en avertir.

Personne n'a même pensé à fermer le pont de Sèvres pour au moins retarder la foule. Le roi ne parvenait pas à décider soit de fuir, soit de tenir ferme et Lafayette n'est arrivé qu'à minuit.

Après s'être adressé à l'Assemblée nationale, il vint à Versailles et dit au roi: « Sire, je viens vous offrir ma tête pour sauver la vôtre. » À ce moment-là, Louis avait enfin décidé de ne pas quitter Versailles.

Pontiac — Je comprends.

Marie — Sir Thomas, je voudrais vous féliciter d'avoir dit son fait à Herr Marx lors de notre dernière rencontre, au sujet de la conduite affreuse de certains de ses disciples. Évidemment, vous trouvez absurde son idée de la propriété commune des biens.

More — Je regrette de vous décevoir, Majesté, mais je ne partage pas vos vues là-dessus.

Marie — Mais, sir Thomas, vous ne voulez pas dire que...

More — Je vous expliquerai plus tard quand nous discuterons de mon livre: « L'Utopie ».

Marx — Il serait peut-être bon que j'explique clairement à Sa Majesté ce que je proposais au monde. Si elle n'a qu'une idée vague de ce que j'ai dit, comment peut-elle traiter mes propos d'absurdes!

Pontiac — Monsieur Marx, ce n'est pas nécessaire de comprendre tout votre système philosophique pour rejeter le principe de la dictature, même si vous l'appelez: « la dictature du prolétariat ».

Marx — Je ne proposais pas le gouvernement par un homme ni par un petit groupe mais par la majorité du peuple.

Vous avez tout à fait raison, Chef. Personne n'aime la dictature, mais personne n'aime la chirurgie, ni la guerre, ni les mesures rigoureuses qui sont parfois temporairement nécessaires pour éviter des maux encore pires.

Pontiac — Pire! Qu'y a-t-il de pire que de ne pas pouvoir dire ou écrire ce qu'on pense? Qu'y a-t-il de pire que de ne pas pouvoir aller où l'on veut? Qu'y a-t-il de pire que de ne pas pouvoir prier le Grand Esprit quand on le veut?

Marx — Je vais vous le dire avec plaisir, Chef! Mourir de faim, c'est pire! Passer sa vie dans la misère et la pauvreté, c'est pire! L'esclavage, c'est pire! *(Pause)* Pontiac, on vous a appelé, entre autres, le chef de guerre des Outaouais; en tant que tel, vous avez tué des milliers d'Anglais et vous avez sacrifié des milliers des vôtres par la même occasion, n'est-ce pas?

Pontiac — Bien sûr, mais la guerre, c'est la guerre!

Marx — En effet. Et la dictature, c'est la dictature!

E. Fruitier — Chef, on a beaucoup critiqué les méthodes de guerre des Indiens et les vôtres en particulier. On vous a accusé de ruse, de cruauté, on parle d'attaques surprises, de....

Pontiac — Ou bien mon frère au visage pâle a peu de mémoire, ou bien il a peu d'instruction, parce que la ruse n'est pas une tactique que nous avons inventée: le cheval de Troie, ce n'est pas nous qui l'avons construit. *(Au public)* Et si vous avez oublié ce que c'était que ce cheval, cherchez la ville de Troie, T-R-O-I-E dans n'importe quel dictionnaire.

More — Va pour la ruse, Chef, c'est un stratagème qui a été employé de tous temps. Mais la cruauté, les poteaux de torture, l'affreuse coutume de scalper vos victimes...

Pontiac — Mais vous êtes tous racistes, ma foi! Comme si nous avions été les seuls à commettre des actes « condamnables » je le reconnais, mais qui abondent tout au long de l'histoire de l'humanité. Vous le premier, Sir Thomas, et vous, Majesté, vous avez tous deux été décapités sur la place publique par des sociétés soi-disant civilisées! Vous citez nos «affreux» poteaux de torture, mais vous ne parlez pas du bûcher de Jeanne d'Arc ni de tous ceux de l'Inquisition!

Récemment, ici même à votre table, monsieur Fruitier, votre invitée Cléopâtre avouait avoir fait couper bien des têtes qui l'avaient tout simplement critiquée et personne ne l'a traitée de

« sauvage ». L'Église n'a jamais condamné Thomas d'Aquin, ni Torquemada, ni aucun des Inquisiteurs qui ont torturé ou fait torturer tant de pauvres innocents.

E. Fruitier — Mon cher Pontiac, vous faites allusion à des événements qui remontent à plusieurs siècles; Dieu merci la civilisation a évolué depuis ces temps-là.

Pontiac — Parlons-en de l'évolution de la civilisation! Demandez aux Vietnamiens ce qu'ils pensent des bombes au napalm, ce produit de la civilisation moderne. Et qu'est-ce que vous pensez, vous tous, de la défoliation systématique des forêts vietnamiennes et du poison mortel dont on s'est servi pour l'effectuer; l'agent orange? L'agent orange dont les effets pernicieux continuent de tuer ceux qui y ont été exposés il y a dix ou quinze ans!

More — Vous déplacez le problème, Chef, vous êtes en train de soulever la question de la morale et des découvertes scientifiques.

Pontiac — Pas du tout, Sir Thomas, je décris un état d'esprit qui régnait durant la guerre du Viet-Nam et qui a permis des massacres épouvantables, comme celui de Milay où les vieillards, les femmes et les enfants d'un village entier ont été rassemblés et mitraillés à bout portant. Cela n'avait rien à voir avec la science et cela se passait au vingtième siècle!

Marx — Vous avez raison, Chef, le monde...

Pontiac — Laissez-moi terminer, monsieur Marx. Je veux dire à M. Fruitier qu'il est mal placé pour nous accuser d'avoir fait des attaques surprises. « Je me souviens », moi qui ne suis pourtant pas québécois, que c'est grâce à une attaque surprise que le général Wolfe a pu vaincre mon ami Montcalm sur les plaines d'Abraham. La guerre je le répète, c'est dément; mais, c'est la même chose pour tout le monde, y compris les Indiens. Forcés de défendre notre territoire envahi, nous avons fait la guerre en utilisant des stratagèmes et des fusils — comme des gens civilisés! Et je ne vous donne pas de wampums pour ce discours, ce serait trop provocant: ils seraient tout rouges!

E. Fruitier — *(Il prend un wampum sur la table et le montre au public)* Pour ceux qui n'étaient pas avec nous la semaine dernière, voici un wampum. La disposition des perles et leurs couleurs sont une forme de sténographie hiéroglyphique qui permet de conserver l'essentiel d'un discours.

Chef, quelle fut votre stratégie durant cette longue guerre que vous avez livrée aux Anglais après la défaite de Montcalm jusqu'en 1766?

Pontiac — Jamais la même, frère Fruitier, comme vous dirait tout bon général! Vers la fin de 1760, les Anglais avaient pris possession du fort de Détroit. Il contenait une centaine de petites maisons, plus la salle du conseil, et il était entouré d'une palissade de vingt-cinq pieds de haut.

Vous comptez en mètres maintenant?

E. Fruitier — Oui, vingt-cinq pieds font environ huit mètres.

Pontiac — Donc une palissade de huit mètres de haut, renforcée d'un bastion en bois à chaque coin.

Marie — Qui l'avait construit?

Pontiac — Vous, les Français. Et même après que les Anglais en eurent pris possession, plusieurs Canadiens continuèrent d'y habiter ainsi qu'une garnison de cent vingt-cinq soldats plus une quarantaine de coureurs des bois.

More — Et vous aviez décidé de vous en emparer?

Pontiac — Euh... j'avais décidé d'en déloger les Anglais mais au lieu de procéder de l'extérieur, ce qui aurait nécessité et exposé un grand nombre d'hommes, j'ai décidé de l'attaquer de l'intérieur.

Marx — Quel stratagème avez-vous imaginé, quand même pas le cheval de Troie?

Pontiac — Non. J'ai réclamé au commandant Gladwyn la tenue d'un conseil. J'y ai amené une soixantaine de chefs et quelques centaines d'hommes. Tous portaient une couverture par-dessus leurs vêtements et étaient armés de fusils, qu'à l'aide de scies et de limes, nous avions tronçonnés à une longueur de trois pieds?

E. Fruitier — Un peu moins d'un mètre.

Pontiac — Pour pouvoir les cacher sous les couvertures.

E. Fruitier — Des fusils tronçonnés!!! C'est donc vous qui avez inspiré les gangsters et les voleurs de banques d'aujourd'hui!... sauf pour ce qui est des étuis à violon, évidemment.

Pontiac — À la fin de mon discours, je devais remettre au major Gladwyn un wampum sens dessus dessous. À ce signal, les chefs devaient abattre les officiers dans la salle du conseil et mes hommes dans le fort, en faire autant pour les soldats de la garnison. Il était bien entendu que pas un seul Canadien ne serait touché mais tous les Anglais devaient mourir.

More — Le moins qu'on puisse dire c'est que c'était très rusé.

E. Fruitier — Mais ce n'étaient pas des ruses de Sioux!

Marx — Alors, ça a fonctionné votre... stratagème?

Pontiac — Non. Une jeune Ojibway nommée Katheri faisait de nombreuses... faveurs à Gladwyn qui d'ailleurs les lui rendait.

E. Fruitier — Vous voulez dire qu'elle avait... la cuisse hospitalière?

Pontiac — Oui, justement.

E. Fruitier — Donc, il ne s'agit pas de la bienheureuse Kateri Tekakwitha!

Pontiac — Évidemment pas. Donc Katheri a vendu la mèche à Gladwyn; quand nous sommes arrivés au fort, toute la garnison était sur le qui-vive, armée jusqu'aux dents.

Marx — Et qu'est-ce que vous avez fait?

Pontiac — Pour « sauver la face », j'ai fait un petit discours, je n'ai *pas* donné de wampum; le commandant m'a répondu, nous a donné des menus présents puis nous sommes partis sans rien faire.

Marie — Et Katheri, qu'est-ce qui lui est arrivé?

Pontiac — Certains prétendent que, peu après, elle a péri en tombant dans une marmite d'eau d'érable bouillante mais c'est de la fiction. J'ai simplement dit à son chef que, dans mes territoires, je ne voulais plus jamais revoir Katheri.

E. Fruitier — Finie Mata Hari! Parlez-nous donc maintenant d'une de vos tactiques qui a porté fruits.

Pontiac — Le match de baggattaway.

E. Fruitier — Le match de quoi?

Pontiac — De baggattaway, c'est ce que vous appelez le jeu de crosse. À l'occasion d'une fête, j'avais organisé un match entre les Ojibways et les Saki dans la plaine adjacente au fort. Quand la balle, «comme par accident», a été envoyée dans le fort, les joueurs s'y sont précipités, soi-disant à la poursuite de la balle. Surpris, les Anglais n'ont pas eu le temps de réagir. Nos femmes, stratégiquement placées, ont remis aux joueurs et aux spectateurs les tomahawks qu'elles tenaient cachés sous leurs couvertures et tous les Anglais ont été détruits.

More — Toujours la ruse et la surprise!

Pontiac — Oui, mais il y avait d'autres méthodes: l'ingéniosité, la tactique. Ainsi, près de Détroit, les Anglais avaient ancré un bateau dont les canons nous tiraient dessus régulièrement. Au lieu de risquer de nombreuses pertes de vie en lançant mes hommes à l'attaque, j'ai fait construire un radeau formé de canoes attachés les uns aux autres. Après l'avoir chargé de branches de pin résineux et d'écorce de bouleau, nous l'avons enflammé puis laissé dériver en direction du bateau pour l'incendier.

Marx — Enfin, quelque chose d'ingénieux!

Pontiac — Mais, une des choses les plus importantes, c'était toujours la psychologie. Nos cris de guerre n'étaient pas une coutume barbare mais une manière de conditionner l'ennemi psychologiquement. L'ennemi qui les entendait de plus en plus près de lui était saisi de terreur et une armée qui a peur de mourir est une armée déjà à moitié vaincue.

Marx — Très bien mais c'est toujours la guerre et la violence.

More — Vous n'allez quand même pas prétendre que la révolution n'entraîne pas de violence, Herr Marx?

Marx — Certainement pas, mais la violence, comme toutes sortes de forces, doit être appliquée intelligemment. Elle n'a pas de sens si elle n'est pas accompagnée d'une campagne d'éducation pour éveiller la conscience révolutionnaire du peuple. Je condamne la violence gratuite attisée par des gens qui ignorent tout de la politique.

E. Fruitier — Vous devriez enseigner cela à certains de nos agitateurs d'aujourd'hui.

Marx — Je voudrais bien. C'est de ces jeunes têtes folles et ignorantes avec leurs bombes et leurs révolvers dont Lénine a dit qu'il fallait se méfier. Ce ne sont que des aventuriers romanesques qui sont à l'origine de la mauvaise réputation de la révolution.

E. Fruitier — En somme, vous êtes en faveur de la révolution à condition qu'elle soit organisée, planifiée.

Marx — Exactement, comme celle de Castro à Cuba.

E. Fruitier — Je vois. Chef, vous avez fini par faire la paix avec les Anglais; pourquoi et comment?

Pontiac — Les Français qui étaient restés au Canada et en Louisiane m'avaient trompé. Peut-être l'avaient-ils été eux-mêmes par la mère patrie.

E. Fruitier — Oui, c'est une thèse dont M. Honoré Mercier nous a parlé lors de son récent passage ici.

Pontiac — Après la défaite de Montcalm en 1759, les Français nous avaient toujours fait croire ou espérer que notre père, le roi de France, allait envoyer des armées pour reconquérir le territoire et chasser les Anglais. Quand j'ai appris qu'il n'en était plus question et que la France avait définitivement abandonné ses possessions en Amérique, mon point de vue a changé.

E. Fruitier — Oui, mais comment avez-vous pu faire la paix avec les Anglais qui envahissaient votre territoire et vous volaient en achetant vos fourrures et qui vous tuaient même pour vous en dépouiller, comme vous nous avez dit la semaine dernière?

Pontiac — C'est qu'eux aussi ont changé. Lors du grand conseil de paix tenu à Chouaguen, sur les bords du lac Ontario, du 23 au 31 juillet 1766, voici ce que Sir William Johnson nous a donné ou promis, au nom du roi d'Angleterre:

— l'augmentation du nombre de postes de traite qui de plus seraient mieux équipés en personnel et en provisions,...

— l'interdiction aux Anglais de faire la traite de fourrure en dehors des postes officiels, et l'affectation dans chaque poste d'officiers honnêtes qui préviendraient les abus des marchands de fourrures, entendraient nos griefs, et soumettraient au gouverneur ceux qu'ils ne pourraient pas régler;

— la garantie de nous fournir un interprète toutes les fois que ce serait nécessaire;

— l'engagement de faire circuler régulièrement dans les postes, un artisan qui réparerait nos armes et notre équipement de chasse;

— l'assurance de punir, comme il se doit, les blancs qui nous auraient fait subir quelque tort que ce soit;

— le droit de vivre en paix dans nos territoires.

Marie — Et vous, qu'est-ce que vous leur avez promis.

Pontiac — La paix, de la part de toutes les nations de l'Ouest et du Nord dont j'étais le chef. Je leur ai promis de rappeler tous les wampums de guerre que j'avais envoyés à ces nations. Réunis, ces wampums auraient constitué une masse plus lourde que ce qu'un homme pouvait porter.

Marx — Est-ce qu'ils vous ont laissé le fort de Détroit auquel vous teniez tant?

Pontiac — Ils me l'ont offert, mais je n'ai pas voulu y rester. Je savais que les miens continueraient de boire du rhum chaque fois qu'ils en auraient l'occasion et je voulais éviter que, dans leur ivresse, ils s'attaquent aux Anglais qui continuaient d'habiter tout près. J'avais donné ma parole, il ne devait plus y avoir de guerre.

E. Fruitier — Ainsi, grâce à Pontiac, ce n'est que trois ans après la signature du traité de Paris que le drapeau français fut définitivement remplacé au Canada par le drapeau anglais.

More — Et vous, Chef, qu'êtes-vous devenu?

Pontiac — Je me suis installé loin de Détroit, au bord de la rivière Maumee et j'ai vécu paisiblement de chasse et de pêche, en bon Indien!

E. Fruitier — Et vous êtes mort quelques années plus tard, n'est-ce pas?

Pontiac — Oui, en avril 1769. J'étais allé à Saint-Louis voir des vieux amis français, Saint-Ange de Bellerive que j'avais connu comme commandant des Français à la Nouvelle-Orléans et le jeune Auguste Chouteau qui avait aidé Pierre Laclède à fonder la ville de St-Louis en 1763.

Justement, ce jour-là, j'avais revêtu l'uniforme que je porte aujourd'hui pour aller visiter Chouteau. Deux ou trois jours plus tard, j'ai décidé d'aller voir mes amis indiens à Cahokia en face de Saint-Louis de l'autre côté du Mississipi, malgré les avertissements de Saint-Ange et de Chouteau qui craignaient pour ma vie. Je leur ai dit que ce n'étaient pas quelques Anglais qui allaient me faire peur et je suis parti.

E. Fruitier — Tiens, comme César qui s'est rendu au sénat, contre l'avis de ses amis.

Pontiac — Oui, mais moi je me suis bien amusé à Cahokia. Les miens m'ont fêté, nous avons bien bu, puis j'ai pris le chemin du retour, dans la forêt, en chantant. Tout à coup, soudainement, par derrière, sans rien voir, j'ai reçu un grand coup de tomahawk sur la tête; c'était la fin!

E. Fruitier — L'histoire nous a appris qu'un marchand de fourrures anglais nommé Williamson voyait d'un mauvais œil votre retour à Saint-Louis et qu'il a payé un Indien de la tribu des Kaskaskia un baril de rhum pour vous faire assassiner.

Pontiac — S'il m'avait attaqué de face, c'est moi qui aurais bu le baril de rhum!

E. Fruitier — La découverte de votre cadavre a immédiatement déclenché la colère des vôtres qui sont partis sur le sentier de la guerre. Si bien que c'est votre ami Chouteau qui a fait prendre votre corps resté sur place et l'a fait enterrer, quelque part à Saint-Louis, avec tous les honneurs militaires.

Pontiac — Cher Chouteau! Est-ce qu'il m'a élevé un monument?

E. Fruitier — Non, mais vous, l'homme des forêts, avez, comme mausolée, une ville de plus de deux millions d'habitants. Et puis il y a cette compagnie d'automobiles qui a donné votre nom à une de ses voitures.

Pontiac — C'est vrai? On peut donc dire que je suis encore en circulation! Bon, assez parler de moi; j'aimerais en apprendre plus long sur Sir Thomas. *(À More)* Pourriez-vous nous parler de vos relations avec Henri VIII et de votre œuvre la plus connue: L'Utopie.

Marie — Est-ce que c'est vous qui avez conçu la notion d'utopie, Sir Thomas?

116

More — Pas du tout, Majesté. À travers les siècles, plusieurs philosophes se sont penchés sur cette idée: ainsi dans « La République » de Platon, on trouve une esquisse de l'État idéal.

Marx — L'argument le plus intéressant qu'on trouve dans « L'Utopie », Sir Thomas, c'est la critique de la propriété privée.

Marie — Sir Thomas, c'est à vous de nous expliquer votre « Utopie ».

More — Oui, Majesté. Dans mon « Utopie », tous les biens appartenaient à la communauté. Je ne crois pas que le bien public puisse être favorisé quand des individus possèdent des biens importants. Nul ne peut mettre en doute le fait que j'aie prôné une certaine forme de communisme, mais j'ai toujours prétendu que c'est un système que les hommes devraient choisir librement et non pas se faire imposer par la force.

Marx — C'est exactement ce que je prétendais moi-même en pensant, évidemment, à une majorité d'hommes.

Marie — Que faisiez-vous, Sir Thomas, des gens qui devenaient attachés à un bien dont ils avaient l'usage mais non la propriété?

More — Dans mon « Utopie », Majesté, les gens changeaient de maison à tous les dix ans, justement pour ne pas s'attacher à une maison donnée ou à ses meubles.

Marie — Que c'est amusant! Comme le jeu des chaises musicales!

E. Fruitier — Les conceptions utopiennes du crime et du châtiment étaient révolutionnaires pour l'époque, n'est-ce pas?

More — Mais oui! Les Utopiens pensaient que c'était absurde de faire, de la peine de mort, le châtiment de *tous* les crimes, depuis le vol jusqu'au meurtre. Cela était encore révolutionnaire trois cents ans après mon « Utopie » en Angleterre où il y avait, en l'an 1800, deux cent trente crimes punissables par la pendaison.

E. Fruitier — C'est énorme! Comment aviez-vous conçu les villes utopiennes?

More — Les cités et villes devaient rester petites et l'on déplaçait dans une autre localité les habitants d'une ville surpeuplée.

Pontiac — Que faisaient les habitants de ces petites villes, pouvaient-ils aller à la chasse?

More — Non, Chef. L'abattage des animaux destinés à la consommation ne pouvait être fait que par des spécialistes. Cela rendait illégale la chasse qui est cruelle, même lorsqu'elle n'a pour but que l'alimentation. Alors quand on la pratique uniquement comme... « sport », c'est un spectacle barbare et dégradant; comme si les hommes avaient le droit de... « s'amuser » en tuant des animaux sans défense.

E. Fruitier — Je suis bien d'accord avec vous. Et les repas utopiens, Sir Thomas?

More — Les gens pouvaient manger chez eux mais la plupart préféraient manger dans des réfectoires et jouir de la compagnie des autres comme faisaient les moines, ou Jésus-Christ et ses apôtres.

Marie — Comme c'est gentil.

Marx — Comme c'est communiste!

E. Fruitier — Parlez-nous de l'éducation en Utopie.

More — L'éducation était accessible à tous, sans distinction de sexe.

Marie — Vraiment?

More — Oui, Majesté. Ainsi nous avons fortement encouragé nos trois filles à poursuivre leur éducation toute leur vie, sans que cela nuise, évidemment, à leurs devoirs d'épouse et de mère. Je leur ai recommandé de ne jamais négliger leurs maris et d'être plutôt leur inspiration de tous les moments.

E. Fruitier — J'ai bien peur qu'on reçoive des objections de la part du Mouvement de Libération de la Femme! Il faudra inviter une de ses représentantes un jour.

Pontiac — Quelle coutume de votre Utopie a-t-on trouvé la plus étrange, Sir Thomas?

More — Le droit pour un patient, souffrant d'une maladie douloureuse et incurable, de mettre fin à ses jours, après avoir obtenu la permission d'un magistrat et d'un prêtre.

E. Fruitier — Vous m'étonnez, Sir Thomas! Vous qui êtes un héros, plus qu'un héros, un saint de l'Église catholique. Le suicide n'est-il pas un péché, selon la morale catholique?

More — Sans aucun doute mais la question de Pontiac parlait de mon «Utopie», un pays fictif où fleurissaient les vertus païennes. Les Utopiens n'étaient pas chrétiens.

E. Fruitier — Je suis de plus en plus étonné. Quel est votre précepte le plus important?

More — Que la propriété privée est un mal.

Marie — Vous avez bien dit un mal?

More — Oui, économiquement et moralement. Sans la propriété privée, la cupidité et l'orgueil auraient beaucoup de mal à survivre et le père de tous les péchés est l'orgueil. Je dois reconnaître que le but de mon «Utopie» n'était pas tellement de décrire une société idéale mais de critiquer certains aspects, cer-

tains maux de la société existante. Mon cher ami Erasme disait:
« Si vous n'avez pas lu « L'Utopie » de More, jetez-y un coup
d'œil un jour où vous aurez envie de vous amuser. »

Marie — Une chose me gêne de votre « Utopie », Sir Thomas, et de
la vôtre aussi, Herr Marx, c'est qu'il doit être indescriptiblement
ennuyeux d'y vivre.

Pontiac — Et comment, interdiction de chasser!

Marie — Vous avez oublié tous les deux que les gens ont naturellement des goûts différents.

Pontiac — C'est pourquoi il y a des Trianons et des wigwams. Sir
Thomas, j'ai tenu tête à Georges III et vous êtes surtout célèbre
pour avoir résisté à Henri VIII.

E. Fruitier — C'est juste, essayons donc de résumer un peu ces
événements. Où avez-vous fait vos études, Sir Thomas?

More — Partiellement à Oxford, monsieur Fruitier. Pendant un
moment, la prêtrise m'a attiré, mais mon ami Erasme croyait
que le droit me convenait mieux.

Pontiac — Vous êtes-vous marié, Sir Thomas?

More — Avec trois filles? Il valait mieux!

Pontiac — Oh! vous savez, la morale, c'est si souvent une question
de géographie!

More — Peut-être, mais en Angleterre, en 1501, *j'ai* épousé la
belle, douce et généreuse Jane Colt qui m'a donné trois filles et
un fils. Comme je vous disais, j'avais envisagé le sacerdoce, mais
j'ai décidé qu'il valait mieux être un bon mari qu'un mauvais
prêtre.

E. Fruitier — En quelle année êtes-vous entré au service du roi?

More — Je suis devenu son conseiller en 1518. J'avais décliné cet
honneur plusieurs fois auparavant mais j'ai accepté lorsque
Henri m'a dit: « D'abord, occupe-toi de ton Dieu, ensuite de ton
roi. » Il savait que ma foi était le moteur de ma vie.

Marie — Alliez-vous souvent au palais?

More — Non, Majesté. Le roi m'y a invité souvent mais comme je
n'aimais pas beaucoup le genre de vie qu'on y menait, je
refusais, mais en mettant des gants! Il est venu souvent chez moi
à Chelsea... sans invitation. Après le repas, il aimait marcher
avec moi dans le jardin, le bras sur mon épaule en devisant sur
toutes sortes de sujets.

E. Fruitier — Quand êtes-vous devenu chancelier?

More — En 1509, après qu'Henri eut enlevé le « Grand Sceau » au
cardinal Wolsey.

Sir Thomas More *(Jean-Louis Paris)*

Marx — C'est en comparant la conduite de Wolsey à celle de Sir Thomas qu'on peut apprécier la droiture de ce dernier. Les revenus de Wolsey se seraient élevés à des millions de dollars par année de nos jours. Oui, oui; et ses palais étaient plus somptueux que ceux du roi même. Pendant quatorze ans, en agissant au nom du roi, c'est lui qui a littéralement mené l'Angleterre.

Pontiac — C'est incompréhensible! Mais quelle sorte d'homme était donc ce Henri VIII?

More — Je vais probablement en étonner plusieurs en leur apprenant que, si son frère aîné, le prince Arthur, n'était pas mort, Henri VIII serait entré dans les ordres. Son père lui avait donné une éducation supérieure: il avait étudié le latin, le français, l'italien, la musique et la théologie. C'était aussi un sportif accompli.

E. Fruitier — Est-ce qu'on pouvait déceler chez lui une tendance précoce à la protestation ou à la rébellion?

More — Pas du tout. C'était un catholique tellement fervent qu'il entendait cinq messes les jours de grande fête et fréquemment trois, les jours ordinaires. Souvent il servait la messe lui-même. Son dévouement lors de nombreuses controverses théologiques lui a valu, du pape, le titre de « Défenseur de la foi ». Il faut vous dire qu'il avait vigoureusement pris parti contre l'agitateur rebelle, Martin Luther.

E. Fruitier — Cette remarque, Sir Thomas, va nous forcer à donner chance égale à Luther et à l'inviter.

More — J'aimerais bien être ici lorsqu'il viendra! Henri avait de grandes vertus mais un tempérament violent; il n'admettait pas qu'on le contrarie. Durant ses trente-huit ans sur le trône, plusieurs de ses sujets ont senti le poids de son talon royal!

Marx — C'est le moins qu'on puisse dire!

E. Fruitier — Faites-nous donc l'historique de vos démêlés avec Henri VIII.

More — En 1509, alors qu'il n'avait que dix-huit ans, Henri avait épousé la veuve de son frère Arthur, Catherine d'Aragon. Elle était la fille de Ferdinand et d'Isabelle d'Espagne, dont tous les Nord-Américains ont appris qu'ils avaient envoyé Christophe Colomb découvrir le Nouveau-Monde.

Marx — Et dont tous les historiens savent qu'ils avaient expulsé les Juifs de l'Espagne.

More — Ce qui était quand même mieux que les emprisonner dans des goulags! Mais revenons à Henri VIII.

Sous prétexte qu'elle ne lui avait pas donné de fils, il divorça d'avec Catherine, épousa Anne Boleyn, fut excommunié par le pape Clément VII et fit passer « The act of supremacy », l'acte de suprématie, qui consacrait le schisme avec Rome et faisait du roi, le chef unique et suprême de l'Église d'Angleterre.

C'est durant cette période de sa vie qu'il devint brutal envers tous ceux qui désapprouvaient sa conduite. Des centaines de gens ont été éventrés, écartelés ou pendus, uniquement pour être restés loyaux à la seule Église qu'ils eussent jamais connue.

E. Fruitier — C'est incroyable !

Marx — Il faut replacer les faits dans leur contexte. Parmi les pendus, il y en avait plusieurs qui avaient été des rebelles armés, prêts à accepter l'aide de l'Espagne ennemie, uniquement parce qu'elle était catholique. Il faut ajouter à la défense d'Henri VIII que sa version de la réforme semble souhaitable, en regard des atrocités commises en Europe quelques décennies plus tard. Souvenez-vous qu'Élizabeth 1ère a fait exécuter trois cents catholiques sous prétexte de traîtrise. Sir Thomas, vous nous avez parlé plus tôt des fautes, de la cruauté et de la corruption de l'Église dans ce temps-là, pourquoi donc y êtes-vous resté fidèle ?

More — Je croyais que c'était une institution qu'il fallait conserver et purifier, mais non pas détruire.

Marx — Toujours l'utopie !

More — Hélas oui et c'est ce qui m'a coûté la vie : j'avais condamné le divorce du roi et l'acte de suprématie, Henri m'a d'abord fait emprisonner, puis décapiter.

E. Fruitier — Sous quel prétexte ?

More — Défaut de reconnaître la suprématie du roi sur l'Église.

Marx — Et votre confrère monarque, Majesté, a démontré son haut degré de civilisation en faisant exhiber la tête de Sir Thomas sur le pont de Londres.

Marie — Quelle monstruosité !

Marx — À cette époque, les ecclésiastiques de toutes dénominations croyaient que la peine capitale convenait parfaitement à leurs adversaires. Et je suis certain, Sir Thomas, que vous ne voulez pas donner à notre auditoire l'impression que vous étiez un héroïque défenseur de la liberté de pensée et de conscience. N'étiez-vous pas un des plus grands chasseurs d'hérétiques de votre temps ? N'avez-vous pas critiqué Luther dans les termes les plus violents ?

More — Oui, bien sûr, bien sûr.

E. Fruitier — Merci, Sir Thomas.

Majesté, le monde a ignoré votre idylle avec le comte de Fersen jusqu'à ce qu'une centaine d'années après sa mort, ses descendants trouvent vos lettres d'amour dans une voûte en Suède. Le peuple français savait, c'est certain, que vous n'étiez pas amoureuse du roi. S'il avait connu votre liaison avec Fersen, croyez-vous que le peuple aurait répandu la rumeur que vous étiez une femme de petite vertu?

Marie — *(Sur ses gardes)* Probablement pas mais c'est un sujet dont je ne désire pas discuter.

More — Monsieur Fruitier, puis-je suggérer que nous respections les désirs de Sa Majesté sur ce sujet éminemment personnel?

Marie — Merci, Sir Thomas, mais à bien y penser, je dois défendre l'honneur de Fersen. Le comte, Messieurs, a été un ami courageux et sûr pour toute la famille durant nos plus grandes tribulations. À ses risques et périls, il nous a aidés à fuir, au moment même où sa tête était mise à prix.

Marx — Majesté, nous savons maintenant que vous avez souvent été la cause de vos propres malheurs. Ne peut-on pas penser que les choses auraient mieux tourné si vous n'aviez pas tenté de fuir?

Marie — Herr Marx, êtes-vous en train de dire que *je* suis responsable des représailles féroces que les révolutionnaires m'ont fait subir? Vous aviez des enfants?

Marx — Oui.

Marie — Alors, vous avez dû vouloir les protéger autant que vous avez prétendu protéger les pauvres. Eh bien, sachez qu'après ma deuxième tentative infructueuse d'évasion, les autorités, pour me punir, m'ont enlevé mon fils, le Dauphin. Ils prétextaient vouloir l'éduquer adéquatement mais Simon, le tuteur auquel ils l'ont confié, était un cordonnier illettré! En fait, leur plan était de l'assimiler à la classe la plus basse qui soit au lieu de l'éduquer selon son rang. Je les ai suppliés. Je leur ai dit : « Tuez-moi plutôt que de m'enlever mon fils ». On m'a interdit de le voir, même quand il est devenu malade. Cependant, un jour, j'ai découvert une petite ouverture dans l'escalier en spirale. Vous savez, Sir Thomas, ces petites fentes pratiquées dans les murs de pierre des prisons pour laisser filtrer la lumière?

More — Je les connais hélas trop bien!

Marie — J'y passais des heures dans l'espoir de le voir quand il viendrait jouer dans la cour intérieure. Hélas, il n'a pas mis longtemps à oublier qui il était. Debout, les larmes aux yeux, je regardais mon fils coiffé du bonnet rouge des révolutionnaires, chantant cette grossière chanson que vous avez fait jouer lors de mon arrivée la semaine dernière.

E. Fruitier — Oui, La Marseillaise.

Marie — Maintenant, vous savez pourquoi cela m'a tellement bouleversée.

E. Fruitier — Oui bien sûr et je m'en excuse sincèrement, Majesté.

Marie — Puis on m'a transportée du Temple à la Conciergerie où j'ai été placée dans une cellule étroite, humide et noire comme un cercueil. C'était au sous-sol, la moitié de la fenêtre avait été murée et il n'y avait presque pas d'air. On m'a refusé même une bougie et la seule lumière que j'avais provenait d'une lampe à huile dans le couloir. Ils m'ont tout enlevé. La montre que ma mère m'avait donnée à l'occasion de mon départ de l'Autriche à quinze ans. Ils ont même pris mon mouchoir. Tout ce qui me restait, c'était un lit de fer et un tabouret.

(Elle pleure ouvertement)

Marx — *(Pour la première fois, il est doux)* Majesté, le récit de vos souffrances dans cette cellule est vraiment touchant. Mais saviez-vous qui avait fait construire ces cellules et ces prisons? C'était la monarchie. Aviez-vous jamais accordé même une pensée aux milliers de gens qui avaient souffert dans de telles cellules? Aviez-vous jamais eu pitié des destitués, des oubliés, des innocents même qui languissaient dans vos prisons?

More — Marx, ce n'est pas le moment!

Marx — Vous avez probablement raison. *(À Marie)* Excusez-moi.

Marie — Neuf mois après la mort de mon mari, affaiblie par le manque d'air et d'exercice et par les hémorragies, j'ai été traînée à mon procès.

More — On prétend que durant votre procès, Majesté, vous vous êtes vraiment comportée en reine, ce que vous n'aviez pas su faire à la cour étincelante de Versailles.

Marie — Les malheurs font prendre conscience de ce que l'on est. Durant mon procès, pas un seul témoin n'a pu dire la moindre chose incriminante contre moi en tant que reine. Alors, ils ont inventé des mensonges flagrants à mon sujet en tant que femme.

E. Fruitier — Que voulez-vous dire, Majesté?

Marie — Je... On a fait comparaître mon fils de huit ans, comme témoin à charge.

Pontiac — Non!

Marie — Oui, messieurs, ils ont amené le Dauphin à la barre. Je le vois encore, assis dans le grand fauteuil, balançant ses petits pieds qui n'atteignaient pas le sol. Ils l'ont effrayé. Ils ont empoisonné son esprit. Et là, devant tous ces étrangers, ils lui ont demandé si c'était vrai que sa mère avait eu des... relations sexuelles avec lui. Même quand sa sœur, outragée, est venue lui rappeler la vérité, il a persisté dans les vils mensonges qu'ils lui avaient enseignés. Sommée de répondre, j'ai dit: « Si je n'ai pas répliqué, c'est que la nature elle-même refuse de répondre à de telles accusations. Sur ce sujet, je fais appel à toutes les mères présentes dans cette cour ».

Un murmure a parcouru l'assemblée... J'ai senti que toutes les femmes étaient émues et je vous fais remarquer que, le moment de la sentence venu, on avait laissé tomber cette accusation. Ils avaient décidé depuis longtemps que je devais mourir. Finalement, le 16 octobre 1793, j'ai enlevé ma robe noire décolorée pour en passer une en mousseline d'un blanc immaculé et me couvrir la tête d'un simple bonnet de lin. Le bourreau, Samson, m'a coupé les cheveux, attaché les mains et on m'a entraînée comme un animal, au bout d'un câble, jusqu'à la charrette qui allait me conduire à la guillotine à travers la meute hurlante. Mais les cris sauvages et le spectacle hideux ne m'ont pas émue. J'avais déjà éprouvé le goût amer de la mort, quatre jours auparavant, en cour, quand mon fils m'avait reniée.

More — Majesté, qu'est-il arrivé au Dauphin?

Marie — Je voudrais bien le savoir, Sir Thomas. C'est un des grands mystères de l'histoire. Est-ce qu'on l'a assassiné comme le comte de Fersen et comme mon mari le roi, je l'ignore. Tout ce que j'espère, c'est qu'il n'ait pas souffert.

Marx — C'est extrêmement troublant de constater que chaque grand pas fait par l'humanité semble baigner dans le sang.

More — Il faut avoir une foi inébranlable pour voir la main de la Providence derrière l'histoire ensanglantée de l'évolution humaine.

E. Fruitier — Monsieur Marx, la semaine dernière et aujourd'hui, nous avons parlé de la vie de tous nos invités sauf de la vôtre. Est-ce que je peux vous poser quelques questions personnelles?

Marx — Euh... Mais oui, je vous en prie.

E. Fruitier — En quelle année êtes-vous né?

Marx — En 1818, monsieur Fruitier, à Trèves, dans la Rhénanie, en Allemagne, d'une famille de Juifs allemands convertis.

More — Et votre éducation?

Marx — Mon père était avocat. J'ai eu la chance qu'il me fasse connaître les grands penseurs du Siècle des lumières comme Voltaire, John Locke et Diderot. Pendant mes études à l'université de Berlin, j'ai appris les théories de Feuerbach et celles du grand philosophe Hegel. Hegel considérait l'histoire comme une série de conflits où l'ordre établi, qu'il appelait thèse, fait face à une nouvelle force, l'antithèse; de chaque conflit naît un nouveau système, la synthèse, qui est une combinaison des deux. En étudiant Hegel, il m'est apparu que cette idée simple pouvait s'appliquer au conflit entre les travailleurs et les classes dominantes. J'entrevoyais la synthèse finale comme une utopie sans classes issue de la révolution communiste. À vingt-deux ans, j'ai donné un ultimatum au gouvernement de Prusse.

Pontiac — Quelles étaient vos exigences?

Marx — Entre autres, la fin de tous les contrôles officiels sur les journaux.

More — Herr Marx, savez-vous jusqu'à quel point la presse est contrôlée, aujourd'hui, dans les pays communistes?

Marx — Pas vraiment, non, mais le contrôle de la presse exercé dans les pays catholiques à travers les siècles est, lui, bien connu de tous.

More — Mais, cher monsieur, je n'hésite pas à concéder que l'Église a eu tort dans ces cas-là. Je me demande quand *vos* disciples auront la même franchise que moi!

E. Fruitier — *(Pour éviter l'éclatement)* Monsieur Marx, où avez-vous rencontré Friedrick Engels?

Marx — À Paris. C'était un être fascinant, fils d'un manufacturier de coton allemand et probablement un des hommes les plus cultivés d'Europe. En travaillant dans les usines de son père à Manchester en Angleterre, il avait baigné dans l'affreuse tyrannie industrielle. Scandalisé, furieux, il écrivit: «La situation de la classe laborieuse en Angleterre». C'est une critique acerbe du système capitaliste.

E. Fruitier — Engels vous a beaucoup aidé financièrement durant plusieurs années, n'est-ce pas?

Marx — Oui, monsieur Fruitier. C'est ironique de penser qu'Engels s'est servi des profits réalisés par l'entreprise capitaliste de son père pour financer la révolution sociale à travers l'Europe.

Pontiac — Que reprochiez-vous précisément aux classes supérieures?

Marx — Les classes supérieures, Chef? C'est-à-dire la noblesse, l'aristocratie? Elles ne m'intéressaient pas beaucoup. Je croyais qu'elles allaient tomber de l'arbre de l'histoire, laissant un vacuum qui ne serait pas comblé... C'est la bourgeoisie, la classe moyenne avide d'argent qui menaçait l'intérêt des ouvriers pauvres. C'est pourquoi j'ai recommandé que ceux-ci s'emparent du pouvoir et éliminent le concept de la propriété privée. Évidemment, j'avais prévu qu'une minorité souffrirait; mais puisque la majorité de la population était constituée de pauvres, ouvriers ou paysans, il s'ensuivait que la grande majorité bénéficierait de mon système. Qu'est-ce qui est mieux pour la société, je vous le demande, que 10 p. cent souffre ou que 90 p. cent souffre. J'ai terminé mon argument dans « Le manifeste du parti communiste » avec ces mots: « Les classes dirigeantes tremblent à l'idée de la Révolution communiste. Le Prolétariat, les travailleurs n'ont rien à perdre sauf leurs chaînes. Ils ont un monde à gagner, Proletarier aller lander, vereinight euch. Travailleurs de tous les pays, unissez-vous ».

More — Vos efforts n'ont pas été immédiatement couronnés de succès, n'est-ce pas?

Marx — Non, Sir Thomas. Il y a eu d'interminables années de lutte et de dissension. Profitant d'émeutes et de la rébellion en Allemagne en 1848 — l'année de l'avènement du système parlementaire au Canada, monsieur Fruitier — j'ai transféré le siège de la Ligue communiste à Cologne, où hélas mes tentatives ont échoué. J'ai dû fuir vers Paris mais, là-aussi, la droite reprenait du poil de la bête; alors, j'ai abouti en Angleterre.

E. Fruitier — Où vous avez vécu des jours plutôt sombres, je crois?

Marx — Oui, je vivais dans un deux pièces rue Bloom dans Soho, un quartier miséreux de Londres à l'époque. C'est dans cet environnement infesté de microbes que trois de mes enfants sont morts.

Pouvez-vous imaginer l'angoisse et la colère que je ressentais? Ces malheurs jetaient de l'huile sur le feu qui brûlait en moi. Je passais la majeure partie de mon temps au British Museum à étudier, à écrire, à lire tout ce que je pouvais sur les épouvantables conditions de travail dans les mines et les manufactures d'Angleterre. C'est au cours de ces années, Majesté, que j'ai structuré mon attaque contre le capitalisme et écrit mon livre, devenu célèbre, Das Kapital. C'était mon devoir d'apprendre au reste du monde que des êtres humains, des hommes, des femmes, des enfants, pourtant tous innocents, étaient brutalisés, traités comme des animaux, payés quelques sous pour faire des travaux éreintants, ruiner leur santé, se faire blesser et même tuer. Il y a peut-être des gens qui peuvent rester impassibles devant tant de souffrance, mais pas moi.

More — C'est une des grandes tragédies de l'histoire moderne, mes amis, que nous, chrétiens d'Europe, ayons accepté toute cette souffrance comme si elle faisait partie de l'ordre normal des choses. Nous ne nous sommes pas apitoyés sur le sort des ouvriers pauvres et exploités comme nous aurions dû le faire. À cause de la dureté et de la sécheresse de nos coeurs, Marx et ses disciples communistes ont pu dire aux travailleurs : « L'aristocratie, la noblesse se fichent de vous. La royauté se fiche de vous. Personne, dans l'ordre établi, ne se soucie de votre sort. L'Église, vous offre bien des prières, mais vous ne pouvez pas les échanger au magasin contre de la nourriture ou des vêtements pour vos enfants ».

Pontiac — En effet, Sir Thomas et monsieur Marx avait raison ; nous, Amérindiens, avons vécu son communisme bien avant qu'il ne l'invente : les wigwams et la nourriture étaient partagés par tous les membres de la tribu et le territoire entier d'une nation était accessible à tous ses individus. Encore aujourd'hui, les Indiens qui n'ont pas été corrompus par votre soi-disant civilisation vivent de la même manière. Les huttes qu'ils construisent durant la saison de chasse en hiver sont communautaires. Comme chez les Inuit, le gibier rapporté par un chasseur nourrit toute la communauté.

More — On dirait une Utopie.

Marx — La tribu vivait en communauté, d'accord, mais le chef, lui ?

Pontiac — Je vivais comme tous les autres et mon wigwam n'avait rien de... royal. Il était fait d'écorce et de joncs, comme ceux de tout le monde et le sol en était couvert de nattes de paille et de peaux d'ours comme ceux de tous les autres Indiens.

Marx — Dans ce cas-là, bravo Pontiac !

More — Aviez-vous l'intention de réformer la législation sur le travail en Angleterre ?

Marx — Pas du tout, Sir Thomas, je voulais la révolution, pas la réforme.

Pontiac — Croyez-vous que le capitalisme était complètement mauvais ?

Marx — Au contraire, j'ai écrit dans mon Manifeste que les capitalistes étaient les plus grands révolutionnaires de leur temps.

E. Fruitier — Vraiment?

Marx — Oui. Le capitalisme a été le premier système à démontrer les possibilités de l'activité humaine. Il a produit des merveilles qui surpassent de beaucoup les pyramides d'Égypte, les aqueducs romains et les cathédrales gothiques.

Pontiac — Si vous aviez tellement d'admiration pour le capitalisme, que lui reprochiez-vous donc?

Marx — Je vais vous l'expliquer. Majesté, si une chemise se vend dix dollars, qu'est-ce qui lui donne cette valeur?

Marie — Euh... Je suppose... le coût du tissu de la chemise... plus le prix du travail qu'il a fallu pour la confectionner?

Marx — Très bien, Majesté. Vous avez raison quant au coût du travail, disons trois dollars, mais comment établir le coût de la matière première, le coton, la laine ou la soie qui s'élèverait, disons, à deux dollars? Encore une fois, ce serait la valeur du travail accompli pour produire cette matière première. Vous me suivez bien? Mais, nous savons que le capitaliste qui vend la chemise fait un profit, dans notre hypothèse, disons de cinq dollars. D'où vient ce profit? De la valeur excédentaire. Le capitaliste a reçu un travail qui valait plus qu'il ne lui a coûté. On pourrait dire qu'il a volé une partie du labeur de son ouvrier.

Pontiac — Mais, il faut considérer aussi...

Marx — Je ne prétends pas que le capitaliste vole son employé consciemment. Je dis que le fait d'abuser des autres, est un élément essentiel de ce système du « chacun pour soi ». Partagez-vous mon avis, Sir Thomas, qu'il y a là un sérieux problème d'éthique?

More — Tout à fait, mon cher Marx. Les philosophes chrétiens de la fin de Moyen-Âge avaient établi des règles pour guider les chrétiens du monde industriel et commercial. Ces règles reposaient sur l'affirmation que les affaires faites dans le seul but de faire des profits sont immorales. Dans ce temps-là, l'Église enseignait qu'un homme n'avait pas droit à plus qu'un salaire raisonnable pour les services rendus à la société.

Marx — Que pensait-elle du marchand qui s'enrichit aux dépens de ses clients et de ses employés?

More — Qu'il ne valait pas mieux qu'un voleur ordinaire.

Marx — Précisément. Et auriez-vous l'obligeance d'apprendre à Sa Majesté ce que l'Église disait des usuriers.

More — Oui. L'Église prétendait que le fait d'exiger des taux d'intérêt exorbitants sur des prêts était une cause de damnation. Les Écritures aussi condamnent l'usure.

Pontiac — Comme l'Église n'a plus la même opinion aujourd'hui sur les taux élevés d'intérêt, Sir Thomas, pourriez-vous nous dire quand et pourquoi elle a changé d'idée?

More — C'est arrivé à la fin de la Renaissance, Chef. Une des causes de la Réforme protestante a été que la nouvelle classe moyenne, qui comprenait plusieurs marchands et boutiquiers, s'est rendu compte que ses intérêts économiques étaient en conflit avec les idéaux spirituels de la chrétienté. Généralement, dans le cours de l'histoire, quand l'homme s'est trouvé devant une telle situation, il a graduellement changé sa philosophie, afin qu'elle justifie son attitude purement égoïste.

Marx — Et je voudrais vous exposer un point de vue très significatif sur toute cette affaire: tant que les banquiers et les prêteurs ont été surtout des Juifs et des musulmans, l'Église était plus qu'heureuse de les condamner; les chrétiens se sentaient supérieurs à ces infidèles. Cependant, quand les chrétiens eux-mêmes se sont mis à amasser des grandes fortunes et à devenir banquiers, l'Église a chanté une tout autre chanson.

More — Herr Marx, y a-t-il un aspect de la condition humaine d'aujourd'hui qui vous étonne?

Marx — Oh oui: le fait que des millions de personnes soient encore attachées à la religion.

E. Fruitier — Et pourquoi cela vous étonne-t-il?

Marx — Parce qu'il m'est toujours apparu que la raison et la vraie connaissance scientifique étaient incompatibles avec la superstition religieuse. Il faut croire que d'autres facteurs que l'intelligence motivent la croyance religieuse.

E. Fruitier — Êtes-vous étonné aussi que l'économie capitaliste régisse encore une si grande partie du monde?

Marx — Dans un sens oui. Cent ans se sont écoulés depuis que j'ai prédit l'effondrement du capitalisme, ce qui, évidemment, ne s'est pas encore produit.

(À l'auditoire) Mais, ne vous flattez pas, mes amis, de votre grande supériorité morale: à en juger par votre société, vous n'avez pas de supériorité. Les idéaux révolutionnaires invoqués par les fondateurs des États-Unis avaient inculqué aux pionniers américains l'esprit d'une grande mission historique. Pourtant, voyez ce qui est arrivé à toute l'Amérique du Nord en deux courts siècles. Des millions de ses citoyens se sentent perdus dans le monde et sont incertains d'eux-mêmes et de leur avenir.

Des millions sont esclaves des drogues et de l'alcool. Dans votre société, la famille se désintègre et des millions d'individus souffrent de troubles émotifs. La pornographie rampe partout et les pauvres de vos grandes villes sont de plus en plus désespérés. Non, non, mes amis, s'il est vrai que votre société ne s'est pas encore écroulée, il serait fort hasardeux de parier sur sa survie à long terme.

E. Fruitier — Monsieur Marx, n'avez-vous pas eu tort de croire que les pauvres des sociétés capitalistes allaient devenir de plus en plus pauvres?

Marx — Oui, mais partiellement seulement. Je constate que plusieurs « ex-pauvres » participent maintenant à la richesse créée par votre économie capitaliste. En revanche, une des choses qui me frappe le plus, c'est que mes disciples les plus fidèles ne soient pas les travailleurs mais plutôt certains intellectuels. Je suis navré de voir que la plupart des travailleurs sont d'ardents défenseurs du statu quo et souvent, opposés aux pauvres.

Marie — Avez-vous vraiment dit, citoyen Marx, que la religion est l'opium du peuple?

Marx — Oui, camarade Majesté, dans ma « Critique de la philosophie du droit de Hegel ». Vous savez que Hegel était très croyant! Mais bien des gens ont mal interprété cette phrase.

Marie — Voulez-vous nous l'expliquer alors?

Marx — Avec plaisir. Les dérivés de l'opium ont des propriétés médicinales. Ils coupent la douleur et rendent la vie plus supportable qu'elle ne serait autrement. Voici ce que j'ai écrit textuellement : « La religion est le soupir de l'être oppressé, la bonté d'un monde sans cœur, l'arme d'une situation sans âme. » C'est un expédient qui permet aux gens d'engourdir leurs souffrances et c'est dans ce sens que la religion est l'opium du peuple. Je ne voyais pas la religion comme un mal nécessaire mais comme quelque chose qui permettait à l'homme de conserver ses illusions.

More — Trouvez-vous ces « illusions » dommageables?

Marx — La plupart du temps, oui, Sir Thomas. Je crois qu'il faut désillusionner l'homme pour qu'il puisse penser, agir, et façonner le monde selon sa raison.

More — Vous voudriez donc enlever au peuple le réconfort de ses illusions?

Marx — Avec beaucoup d'hésitation, cher ami. J'ai toujours été en sympathie avec le peuple, les opprimés, les travailleurs du monde. J'ai eu pitié d'eux à cause de leur pauvreté, de leurs souffrances, de leur ignorance, de leur état d'aliénation. Il est vrai que la religion a adouci leur misère, mais, malheureusement, elle les a empêchés de se soulever, de briser leurs chaînes et d'améliorer leur sort. Dans ce sens-là, je le répète, la religion était leur opium.

E. Fruitier — Une des grandes leçons qu'on peut tirer de l'histoire depuis votre mort, monsieur Marx, c'est que les gens ont pu participer à des révolutions et briser leurs chaînes, tout en conservant leur religion. Les Socialistes Chrétiens en sont un exemple.

Marie — Est-ce qu'il y a une idée simple que vous considérez comme la pierre angulaire de vos enseignements, Herr Marx? Pas trop complexe, que je puisse la saisir...

Marx — Je vais essayer de vous répondre d'une manière aussi limpide que l'est votre question, Majesté. L'idée de base de mes théories c'est que le déroulement de l'histoire n'est pas déterminé par la religion ou les aventures militaires mais plutôt par des considérations économiques.

Marie — Économiques?

Marx — Mais oui, tenez: la révolution industrielle a amené la démocratie. Elle a entraîné le déclin du pouvoir religieux et grandement altéré les normes morales. Elle a encouragé le développement de la science, affecté la littérature, les arts et le rôle de la femme dans la société. À n'importe quel moment de l'histoire, on retrouve le même enchaînement. Ce sont les richesses de Cléopâtre qui ont revigoré la Rome de César Auguste. Considérons les Croisades: *(Au public)* vous enseignez à vos enfants qu'elles ont été organisées uniquement pour des raisons religieuses. Rien n'est plus faux. Plusieurs des croisés ont entrepris la marche vers l'Orient parce qu'ils étaient passionnément intéressés à y développer des nouveaux débouchés commerciaux.

Sir Thomas nous a parlé plus tôt des gloires de la Renaissance. Plusieurs d'entre elles n'auraient jamais brillé sans la Banque des Médicis et sans l'apport d'autres riches familles de l'aristocratie italienne.

Et la révolution française n'aurait jamais eu lieu si la classe moyenne, la bourgeoisie française n'avait pas accédé à la richesse. Elle avait besoin de liberté, d'avoir ses coudées franches pour mener à bien ses entreprises commerciales. Cette liberté, qu'elle a recherchée et obtenue, a ouvert la voie à la révolution qui a renversé la monarchie.

Pontiac — Votre thèse est admirablement exposée, monsieur Marx, mais quand je pense aux millions de gens qui souffrent, aujourd'hui du conflit entre l'Est et l'Ouest au sujet de vos théories, je me dis qu'il eut mieux valu que vous n'inventiez jamais le socialisme.

More — Excusez-moi, Chef, mais monsieur Marx n'est pas responsable des souffrances dont vous parlez. En effet, le socialisme sous toutes sortes de formes existe depuis des milliers d'années. Il semble toujours réapparaître en réaction aux maux qui assaillent la société lorsque les hommes n'agissent qu'en raison de leur intérêt économique personnel.

Marie — Oui, mais l'Église s'est toujours opposée au socialisme.

More — Non, non, Majesté, pas toujours. Au XVIIe siècle, les Jésuites de la colonie portugaise du Paraguay ont organisé une société de centaines de milliers d'Indiens selon des principes strictement socialistes. Durant la Réforme protestante, en Allemagne, le chef de la rébellion paysanne, Thomas...
(Il cherche).

Marx — Thomas Munzer.

More — Oui, c'est ça. Il incitait le peuple à renverser le gouvernement existant et à établir une société simple et religieuse dans laquelle toutes les choses appartiendraient à la communauté.

E. Fruitier — Et en Chine, il y a cent ans, la révolte des T'ai P'ing a été menée par des nouveaux chrétiens qui avaient beaucoup emprunté au socialisme.

More — Et nous savons, bien sûr, que même le Christ et ses apôtres menaient une existence partiellement communautaire. Dans les Actes des Apôtres, chapitre IV, versets 34 et 35, on lit:
« Plusieurs de ceux qui possédaient des terres et des maisons les vendirent et vinrent déposer le produit de cette vente aux pieds des apôtres qui le distribuèrent à tous, suivant leurs besoins individuels. »

C'est lorsque le socialisme nie l'importance de Dieu — ou même l'existence de Dieu — que l'Église doit s'y opposer. Du point de vue moral, il n'y a rien d'essentiellement mauvais dans la vie communautaire, dans le fait que des gens décident de vivre ensemble, d'abandonner leur droit à la propriété privée et de le conférer à la communauté.

E. Fruitier — C'est exactement ce que font plusieurs jeunes aujourd'hui.

More — Notre monde serait sûrement meilleur si ceux qui possèdent d'innombrables millions les partageaient avec d'autres moins fortunés. Mais maintenant, Herr Marx, considérons une question morale extrêmement importante.

Marx — Laquelle?

More — Les moyens d'établir une société communiste et de maintenir au pouvoir une dictature communiste, en dépit de l'opposition manifeste du peuple, jusqu'à quel point ces moyens-là sont-ils justifiés?

Marx — More, vous n'allez pas...

More — Je suis en train de parler, monsieur. Les influents penseurs révolutinnaires français que nous avons mentionnés: Rousseau, Voltaire, Montaigne, de même que des philosophes anglais tels John Locke et John Stuart Mill, ont également énoncé des théories sur l'importance de la liberté: liberté de voyager, de dire ce qu'on pense, d'écrire et de publier ses opinions.

Pontiac — Et les philosophes fondateurs des États-Unis, Jefferson, Adams, Franklin et les autres ont enthousiasmé l'humanité tout entière en insérant ces mêmes libertés dans leur Déclaration d'Indépendance et dans la Constitution des États-Unis.

Marx — Ce que vous ne mentionnez pas, messieurs, c'est que des marchands et des manufacturiers peu scrupuleux ont abusé de cette liberté! Les Américains eux-mêmes ont lutté contre de tels abus et aujourd'hui, ce sont les syndicats, les mouvements de consommateurs et d'écologistes qui continuent ce combat.

More — C'est juste mais nous voici de nouveau devant un problème moral: en aidant les pauvres à améliorer leur sort économiquement, à quel moment commence-t-on à les priver de leur liberté?

Marx — Écoutez-moi bien, More. Je veux bien qu'on dise que le gouvernement ne doit pas s'ingérer dans les affaires mais cet argument nébuleux est l'arme démagogique dont se sont servis les capitalistes pour défaire tous les projets de lois humanitaires en faveur des pauvres. *(À l'auditoire)* Peuple, écoutez-moi! Réfléchissez! Voudriez-vous retourner en arrière? Voudriez-vous que vos enfants travaillent, comme autrefois, douze ou quatorze heures chaque jour dans des usines malpropres et dangereuses où ils se font blesser, où leurs corps s'étiolent et leur intelligence s'éteint? Bien sûr que non! Et pourtant quand la loi sur le travail des enfants a été présentée, les tenants du capitalisme ont montré où allait leur sympathie: pas vers les enfants opprimés mais vers les riches propriétaires d'usines. Ça aussi, Sir Thomas, c'était un problème moral!

More — Et vous, monsieur, approuvez-vous les atrocités commises en Russie, en Chine et dans les autres pays où votre philosophie a été mise en pratique? Je suis prêt à ne pas tenir compte des crimes et des meurtres commis lors des premières éruptions révolutionnaires alors que — comme Sa Majesté nous l'a rappelé — le peuple entier semble devenir fou et que la terreur règne. Tout cela est horrible, mais on peut, peut-être, pardonner de tels crimes aux hommes, parce qu'alors, ils ne savent pas ce qu'ils font et qu'ils ont été poussés au désespoir et à la revanche par la cruauté persistante de leurs oppresseurs.

Voyons, par contre, les crimes et les atrocités qui durent depuis longtemps et sont commis, non pas sous l'effet de la colère, mais, de sang froid. Dans ce cas, les coupables savent parfaitement bien ce qu'ils font. Ils ont recours au peloton d'exécution, aux travaux forcés, à l'emprisonnement politique, selon un plan systématique et froidement calculé. C'est cela, monsieur, qu'en fin de compte, l'histoire ne pourra pas approuver.

Marx — Et je vous dis, monsieur, que tous les gouvernements du monde agissent sans pitié envers leurs ennemis, qu'ils soient à l'extérieur ou à l'intérieur du pays.

More — Probablement, monsieur, mais ça n'empêche pas chacun de ces gestes d'être immoral. Précisons: il est normal qu'un état se défende contre une attaque militaire par un autre peuple. Mais dans certains pays marxistes, aujourd'hui, des hommes sont emprisonnés, exécutés, terrorisés, non pas parce qu'ils s'attaquent au pouvoir avec des bombes ou qu'ils préparent des insurrections armées, mais simplement parce qu'ils peignent un tableau, écrivent un poème, épousent une croyance scientifique ou font part à un ami d'une pensée qui va à l'encontre de la philosophie dominante. Voilà des choses qui étaient, hélas, trop courantes durant la Grande Noirceur, durant l'Inquisition et à d'autres moments de l'histoire.

Marx — À votre époque notamment! Vous avez fait tout ce que vous avez pu pour priver les disciples de Luther de la liberté d'expression.

More — C'est vrai, d'accord. Mais avons-nous parcouru un chemin si long et si ardu tout le long de l'histoire pour découvrir aujourd'hui que notre route est circulaire et que nous revenons à l'âge de la torture, de l'écartèlement, du donjon, du poteau d'exécution?

Marx — Vous ne pouvez pas imputer au communisme des maux qu'on trouve aussi bien dans les nations réactionnaires que...

E. Fruitier — Monsieur Marx!

Hélas, il ne nous reste plus de temps. Majesté, messieurs, merci pour votre discussion tellement stimulante. Je sais qu'il y a plusieurs sujets importants que nous n'avons pas pu aborder, mais je ne peux qu'espérer que vous puissiez nous revenir un jour.

Tous — Oui! En effet! Excellente idée!

E. Fruitier — À tous, merci et au revoir. À bientôt!

3

première partie

Invités :

de l'Europe du Vᵉ siècle,
ATTILA, roi des Huns,

de l'Italie du XVIᵉ siècle,
GALILEO GALILEI,

de la France du XXᵉ siècle,
la COMTESSE DE NOAILLES,

et de l'Angleterre du XIXᵉ siècle,
le scientifique CHARLES DARWIN,

et leur hôte, Edgar Fruitier.

Distribution :

Hôte	Edgar Fruitier
Charles Darwin (1809-1882)	Yvon Dufour
Comtesse Anna de Noailles (1876-1933)	Élisabeth Chouvalidzé
Galileo Galilei (1564-1642)	Luc Durand
Attila (406-453)	Jean-Louis Millette

Attila *(Jean-Louis Millette)*, Comtesse Anna de Noailles *(Elisabeth Chouvalidzé)*, Edgar Fruitier, Darwin *(Yvon Dufour)*, Galilée *(Luc Durand)*.

E. Fruitier — Bonsoir, merci... merci. Nous allons d'abord faire connaissance avec une des plus grandes figures de l'histoire de la science. Ses théories, comme celles de Galilée, n'ont pas seulement choqué l'humanité mais l'ont changée profondément. On a dit de l'œuvre de Darwin :

« Aucune théorie subséquente, pas même celle de la relativité, n'a rendu l'homme si humble ». Voici donc le père de la théorie de l'évolution, Charles Darwin.

Bienvenue parmi nous monsieur Darwin.

Darwin — Merci, monsieur Fruitier. Je suis enchanté d'être ici ce soir à cause du plaisir que j'aurai à rencontrer vos illustres invités, bien sûr, mais aussi parce que je me trouve dans un monde où mes théories ont été acceptées il y a longtemps et pacifiquement. Je vous assure qu'il en était tout autrement à mon époque !

E. Fruitier — En fait, il y a bien des gens qui n'ont admis vos théories que depuis peu.

Darwin — Vraiment?

E. Fruitier — Mais oui ! Il y a même pis : un groupe du sud des États-Unis tente de forcer légalement des maisons d'enseignement à réinscrire à leur programme la théorie de la création qui avait été reléguée aux oubliettes depuis l'acceptation générale de votre théorie de l'évolution.

Darwin — *(Ironique)* Il faut prier pour eux !

E. Fruitier — D'autant plus qu'en 1982 le tribunal les a déboutés de leur demande.

Darwin — Bien fait !

E. Fruitier — Avez-vous été le premier à imaginer la théorie de l'évolution?

Darwin — Pas du tout, cher monsieur. La théorie de l'évolution repose sur la notion essentiellement simple que Dieu n'a pas inventé les centaines de milliers d'espèces animales grâce à une série de tours de passe-passe successifs, mais que tous les êtres vivants descendent d'un même ancêtre... *(Malin)* qui n'était pas un singe !

E. Fruitier — En d'autres mots, Dieu n'a pas créé les tigres un jour, les girafes un autre jour et les kangourous quelqu'autre après-midi ?

Darwin — Exact. Et c'est une thèse que bien des gens avaient imaginée, même avant ma naissance. L'évolution était une idée prête à éclore, et je suis certain que si je n'étais pas né, quelqu'un d'autre aurait développé ma théorie tout aussi adéquatement que moi.

E. Fruitier — Je vois. Merci monsieur Darwin. De notre prochaine invitée, le Times de Londres a écrit : *(Il prend une feuille et lit)* « « C'est le plus grand poète que le 20e siècle a donné à la France et peut-être à toute l'Europe ». Plus près d'elle, Jean Cocteau a dit : « Elle logeait un ange auquel il advint de guider sa plume » et la grande Colette : « Ce que j'avais appris dans la nature, elle l'inventait puissamment. » Son ami Maurice Barrès : « C'est le point le plus sensible de l'univers ». Verhaeren, le poète belge : « La plus poète des poètes » et finalement, l'homme politique et écrivain français, Joseph Reimach, lui dit un jour : « Il existe en France trois miracles : Jeanne d'Arc, la bataille de la Marne et vous ». *(Il dépose sa feuille)* Je n'en finirais plus s'il me fallait tout citer puisqu'on a dit que peu de personnes au monde avaient connu autant de gloire et d'adulation de leur vivant. Il me reste à vous dire qu'elle fut la première femme à recevoir la cravate de commandeur de la Légion d'Honneur, qu'elle siégea à l'Académie Royale de Belgique et que son indescriptible beauté était proverbiale. Mesdames et Messieurs, Anna Élisabeth Bassaraba, princesse Brancovan, comtesse de Noailles.

(Anna entre, cambrée, la tête haute, replaçant son ou ses voiles)

Anna — Bonsoir, mister Darwin.

E. Fruitier — Comtesse, nous sommes gâtés d'avoir parmi nous celle que le tout-Paris s'arrachait et que les plus grands... « offraient » avec orgueil à leurs invités lors des soirées qu'ils organisaient.

Anna — Eh bien, moi je suis très heureuse d'être ici : je prévenais toujours ceux qui m'invitaient que je n'aime pas jouer devant des banquettes vides, alors, ce soir, je suis comblée. De plus, ayant déjà fait de la T.S.F., je suis ravie de m'exprimer maintenant à la télévision.

E. Fruitier — De la T.S.F. ?

Anna — C'est ainsi que l'on appelait la radio à ses débuts : la télégraphie sans fil, T.S.F.

E. Fruitier — Ah bon ! Donc, vous avez fait de la radio ?

Anna — Oui, en 1924, à la demande des auditeurs, on m'avait priée de dire des poèmes sur les ondes.

E. Fruitier — Alors ce n'est pas...

Anna — *(Ne laisse pas parler E. Fruitier)* Et une autre raison pour laquelle je suis contente d'être ici c'est que je vais enfin pouvoir parler, m'exprimer.

E. Fruitier — Oui, je sais que lorsque vous parliez, tout le monde écoutait ; c'est même pour cela qu'on vous invitait... et que vous acceptiez !

Anna — C'est que j'avais des choses à dire. À quoi bon avoir été créée avec le coeur le plus ardent qui soit et placée au centre du monde si on ne laisse pas son reflet, son empreinte en tous les lieux possibles de l'univers ?

E. Fruitier — Et vous vouliez tellement laisser votre empreinte que Cocteau a écrit que vous utilisiez tous les moyens possibles pour que les convives ne vous enlèvent pas le crachoir.

Anna — *(Elle rit)* Toujours le même ce petit ! Quand je pense que cet anti-conformiste par excellence est devenu académicien ! Tout ce temps-là, les femmes n'étaient même pas admises à l'académie et il aura fallu attendre Marguerite Yourcenar pour avoir une « immortelle ». *(Grand soupir)* Je suis née trop tôt !

E. Fruitier — Enfin chère comtesse...

Anna — Avant de me taire, il faut que je vous dise aussi que je ne pouvais pas résister au plaisir de rencontrer vos distingués invités.

Darwin — Mais, c'est nous qui sommes honorés, comtesse de rencontrer un poète qui a décrit le soir comme un :
« évanouissement de l'air mourant et fade qui tombe déplié sur les flots las et mous. »

Anna — Merci cher Darwin.

Darwin — Et pensez que nous allons rencontrer Galilée.

Anna — Ah, ces chers italiens qui ont la chaleur candide mais véhémente d'une race visitée par le soleil !

141

E. Fruitier — Comtesse, il serait temps, je crois, de... passer le crachoir à monsieur Darwin.

Anna — Pour entendre le grand Darwin, j'accepte de me taire.

E. Fruitier — Croyez-vous que la place de Galilée dans l'histoire ne lui vient que de ses découvertes scientifiques?

Darwin — Non, je ne crois pas. Je pense que l'importance de Galilée vient surtout du fait qu'il a forcé l'homme à faire face à la réalité; l'homme qui, trop souvent, trouve une certaine paix dans le mythe et la superstition. Pour me faire comprendre, voici une hypothèse absurde: imaginons qu'une petite secte religieuse est convaincue que Dieu est un concombre géant. Et imaginons que lors du décès d'un des leurs, ces croyants placent des tranches de concombre autour du cercueil pour plaire à leur Dieu. Vous et moi sommes convaincus qu'une telle coutume serait absurde. Et pourtant, ce rite, ce mythe serait réconfortant pour ces croyants, affligés de la perte d'un être cher. Galilée a simplement démontré que l'œuvre du créateur était plus extraordinaire, plus étonnante encore que les mythes primitifs ne le suggéraient.

E. Fruitier — Vous en avez fait autant vous-même.

Darwin — Mais il n'y a pas de comparaison: la science, au sens moderne du mot n'existait pas avant Galilée. Certains individus, en spéculant sur la science avaient bien fait quelques découvertes isolées et remarquables, mais c'étaient plutôt des accidents qui ne s'inséraient pas dans un système cohérent.

E. Fruitier — Est-ce qu'on pourrait dire que l'histoire de la science moderne commence avec Galilée?

Darwin — Évidemment! C'est lui qui a transformé notre conception du mouvement et la science n'est-elle pas, en somme, l'étude de la matière en mouvement?

E. Fruitier — Alors, mesdames et messieurs, après le père de la théorie de l'évolution, j'ai donc le grand plaisir de vous présenter celui de la science moderne: Signor Galileo Galilei. *(Galilée entre et salue)*

E. Fruitier — Soyez le bienvenu.

Galilée — Je suis enchanté d'être ici monsieur Fruitier. Comtesse, mister Darwin.

Anna — Une chose m'a toujours plu chez les gens de la Renaissance: bien que fort préoccupés par la science, leurs recherches techniques ne les ont pas empêchés de s'intéresser à la poésie et aux autres arts.

Darwin — C'est très juste, comtesse, et Signor Galilée était attiré par les arts et par la « belle vie ». *(À Galilée)* Qu'est-ce donc que vous avez écrit au sujet du vin?

Galilée — Il vino e luce impasse con humore.

E. Fruitier — Ce qui veut dire...

Galilée — Le vin, c'est de la lumière, emprisonnée dans de l'eau.

Anna — Que c'est beau !

Darwin — Poète, comme vous voyez, Galilée était aussi brillant orateur, musicien et peintre. Même sans ses éblouissantes découvertes scientifiques, cet homme aurait fait bien des envieux !

Anna — Justement, je suis jalouse de sa jolie phrase sur le vin, mais j'ai trouvé un remède à l'envie: c'est d'aimer ce qu'il est juste d'envier. Alors l'envie se transforme en une sorte d'émulation mêlée de tendresse et de gratitude.

E. Fruitier — Mon cher Galilée, bien qu'on vous associe généralement à Florence, je crois que ce n'est pas là que vous êtes né?

Galilée — Vous avez raison, Monsieur Fruitier, je suis né à Pise en 1564.

Anna — 1564 ! L'année de la naissance de Shakespeare !

Galilée — Exact. Et aussi l'année de la mort de Michel-Ange.

E. Fruitier — Coïncidence intéressante ! Et maintenant, avant qu'il ne s'impatiente, notre quatrième invité. Personnage à la fois étrange et légendaire, il nous arrive d'une époque intrigante de l'histoire: le cinquième siècle. Après mille ans de domination romaine, l'empire, finalement, s'écroulait. Attila, roi des Huns, était un des chefs barbares qui semaient la terreur chez tous les Européens de l'époque. Mesdames et messieurs, Attila, roi des Huns.

(Attila entre et salue)

E. Fruitier — Bonsoir et bienvenue.

Attila — Merci. Comtesse, messieurs.

E. Fruitier — *(Lui indiquant son fauteuil)* Mettez-vous à l'aise.
(Attila s'assoit, une jambe par-dessus le bras de son fauteuil. Anna, choquée, se retourne vers Edgar Fruitier)

E. Fruitier — *(Aparté à la comtesse et à la caméra, en haussant les épaules)* Je lui ai dit de se mettre à l'aise. *(À Attila)* Majesté...

Attila — Vous allez m'arrêter le majesté et m'appeler Attila comme tout le monde.

E. Fruitier — Très bien. Alors, Attila, nous ne savons pas grand-chose des Huns; dites-nous donc d'où ils venaient.

143

Attila — Parmi les miens, la légende courait que peu après Jésus-Christ, les Chinois avaient chassé nos ancêtres, les Hsiung-Nu, hors de la Mongolie vers l'ouest. La moitié d'entre nous se seraient arrêtés en Afghanistan et les autres auraient continué leur migration vers l'ouest jusqu'à ce que vous appelez maintenant l'Europe de l'est. Je crois qu'encore aujourd'hui, les Turcs nous considèrent comme leurs ancêtres. Donc il semble que nous venions des plaines de la Mongolie actuelle. Les Mongols ont survécu jusqu'à maintenant n'est-ce pas?

Anna — Oui, mais ils font partie de mon cher Orient, ce sont des orientaux.

Attila — Et alors?

Anna — On en trouve en Union soviétique comme on trouve aussi des Russes métissés qui ont des trait orientaux.

Attila — Bien sûr! Ça me dépasse de constater qu'il y a encore des gens qui se prétendent d'une race humaine pure. Ceux qui se croient de purs Allemands ou de purs Italiens ou de purs n'importe quoi se leurrent.

Anna — Ce ne pourrait pas m'arriver à moi qui suis française, de naissance et par mon mariage, mais issue d'un père roumain et d'une mère grecque.

Attila — Ouais, une belle salade! *(Il rit de sa blague et donne une tape dans le dos de la comtesse qui réagit, outragée. Il hausse les épaules devant sa réaction, puis reprend la conversation)* Pendant des années, à travers l'Europe et les autres continents, il y a eu une série de migrations, de guerres, de pillages, de viols, de mariages mixtes et de mélanges de toutes sortes. Ainsi, mes soldats n'amenaient pas leurs femmes en campagne, soyez-en certains! Alors, vous comprenez...

E. Fruitier — Quelles étaient vos activités, comment surviviez-vous?

Attila — La guerre, surtout. Nous avions des troupeaux et faisions un peu de culture, mais tous les Huns naissent cavaliers et un instinct nous poussait à explorer et à *conquérir* les régions environnantes.

Anna — Quelle horreur!

Attila — Non, quelle survie!!!

E. Fruitier — Nommez-nous quelques-unes des tribus que les Huns ont conquises?

Attila — D'abord, les Russes. En 355, nous avons envahi leur territoire et graduellement absorbé plusieurs de leurs tribus. Vingt ans plus tard, nous avons entrepris les Ostrogoths.

E. Fruitier — Les Ostrogoths... où vivaient-ils?

Attila — En Ukraine.

Anna — Comment traitiez-vous les tribus conquises?

Attila — Nous les assimilions! Les survivants se joignaient à nous, ce qui augmentait nos forces. Nous avons continué notre marche vers l'ouest et défait les Visigoths qui occupaient une partie de l'Allemagne d'aujourd'hui. Ah! les pauvres Visigoths, j'ai presque pitié d'eux.

Anna — Après ce qu'on vient d'entendre, on se demande bien pourquoi!

Attila — Pour nous échapper, ils ont demandé à l'Empereur romain Valens la permission de traverser le Danube et de s'établir dans le territoire romain. Valens accepta mais les attaqua dès qu'ils eurent franchi le Danube.

Darwin — Ce n'était pas correct, ce n'était pas « fair play »!

Attila — Certainement pas et en réponse à la traîtrise et à la tromperie des Romains, tous les Goths se sont unis pour leur livrer une guerre terrible. En 378, ils écrasèrent les armées de Valens à Andrinople. Ce fut la plus désastreuse défaite des Romains en six cents ans et leur première aux mains des barbares. Et ce fut bien fait pour les Romains et pour Valens qui mourut au combat.

Galilée — Quelle fut la cause de la défaite romaine?

Attila — À mon avis, la stratégie que les Goths avaient apprise des Huns. Notre armée se déplaçait facilement à travers le continent parce que c'était une cavalerie. Or, c'est la cavalerie gothique qui a défait l'infanterie romaine.

Galilée — Oui, oui, oui, je me souviens d'avoir lu l'histoire de cette bataille et c'est justement cette victoire de la cavalerie sur l'armée à pied qui a dicté la stratégie militaire pour les mille ans à venir.

E. Fruitier — À quel moment précis êtes-vous entré sur la grande scène de l'histoire?

Attila — *(Coup d'oeil gouailleur à l'auditoire)* Eh bien, voici: en 433, mon oncle, Rua, roi des Huns, mourut et ses armées tombèrent sous le contrôle de moi-même et de mon frère Bleda. Après l'assassinat de mon frère Bleda, je fus le seul chef de l'armée des Huns.

E. Fruitier — Certains historiens vous soupçonnent d'être responsable de la mort de votre frère.

Attila — *(Il le froudroie du regard, puis lentement, dit)* Allez donc au diable!

Anna — Oh, mon dieu!

Attila — Et je suis poli!

E. Fruitier — Étiez-vous le conquérant impitoyable et cruel que les gens imaginent?

Attila — Je me fiche pas mal de ce que les gens pensent; j'étais un militaire et j'utilisais les moyens nécessaires dans des situations données. Et quand je regarde votre monde, je constate qu'il n'y n'y a pas grand-chose de changé dans ce domaine-là. J'ai même employé un truc que vous appelez maintenant propagande.

E. Fruitier — La propagande?

Attila — Mais oui. Dès que mes troupes s'approchaient de l'ennemi et le menaçaient, quelques-uns de mes hommes s'infiltraient dans leurs cités et répandaient des histoires horribles sur ma cruauté. Je m'étais dit qu'en semant la terreur dans le cœur des soldats ennemis, je pouvais éviter bien des misères à mes troupes. Les gens étaient plus enclins à mettre bas les armes qu'à me faire face.

E. Fruitier — Tiens, c'est étrange, le chef indien Pontiac nous a dit, lors de son récent passage ici, qu'il employait une méthode semblable, mais avec des moyens différents.

Attila — Vous voyez!

E. Fruitier — Mais les Européens ne décelaient pas votre ruse?

Attila — Pas très souvent. Il faut vous souvenir que les Européens étaient presque totalement ignorants, sans éducation, analphabètes et superstitieux. Comme leur foi reposait sur des mythes et des absurdités, ils étaient guidés par la peur. J'ai donc pu profiter de leur imagination poltronne et les terrifier en répandant moins de sang que je n'aurais dû le faire autrement.

Anna — Saviez-vous lire et écrire?

Attila — Non, baronne! *(Réaction d'Anna)* Dans mon temps, seuls les savants et les curés savaient cela, mais n'allez pas penser que j'étais un sauvage pour autant. J'avais ma propre conception de l'honneur et je garantissais aux gens qu'ils seraient traités justement, s'ils faisaient ce qu'on leur ordonnait.

Darwin — Allons donc Attila! Les raids meurtriers de votre armée d'un demi-million d'hommes ont semé la dévastation et ruiné l'Europe entière pour des siècles! Les Balkans ont mis quatre cents ans à se remettre du passage de vos armées. Si vous n'étiez pas un sauvage ignorant, on ne peut pas dire non plus que vous étiez civilisé.

Attila — Vous allez peut-être me dire, Mister Darwin, que l'Empire britannique a été bâti par des pacifistes!

E. Fruitier — Comment avez-vous été vaincu, finalement?

Attila — En 451, Théodoric 1er, cette vieille crapule qui était roi des Visigoths, s'est allié aux Romains et leurs armées combinées ont attaqué la mienne aux champs catalauniques, près de Troyes, au sud-est de Paris. Ce fut une des batailles les plus sanglantes de l'histoire de l'humanité. Mon armée d'un demi-million d'hommes contre leurs centaines de milliers!

Galilée — Une scène de « L'Enfer » de Dante! On dit que cent soixante-deux mille hommes sont morts durant cette bataille.

Anna — Qu'attend-on pour dénoncer à jamais l'ignominie de la guerre?

Attila — Ah, le nombre de morts vous choque! Mais comprenez donc que ces cent soixante-deux mille morts étaient des militaires conscients des risques qu'ils couraient! Et Hiroshima, ça vous dit quelque chose, baronne? Si mes renseignements sont exacts, à Hiroshima et à Nagasaki, les Américains ont tué à peu près cent soixante mille hommes, femmes et enfants, la plupart des civils, en quelques minutes seulement.

Anna — Mais les nations modernes essayent au moins d'éviter la guerre parce que...

Attila — Je n'admets pas que les gens d'aujourd'hui soient plus civilisés ou plus compatissants que ceux de mon temps. Vous prétendez, mister Darwin, que nous étions des tueurs, eh bien, soit! Mais au moins, nous n'étions pas des hypocrites.

E. Fruitier — Mais Attila, il y a sûrement une différence entre...

Attila — J'ai pas fini! Savez-vous combien de gens sont morts durant *votre* deuxième grande guerre?

E. Fruitier — Non, combien?

Attila — Quarante millions. Oui, *quarante millions* d'hommes tués par des nations modernes soi-disant civilisées. *(Au public)* Pensez au nombre de morts, mesdames et messieurs! Méditez sur ce chiffre! Quarante millions de morts dont une grande proportion de civils. Un *pacifiste* ou un *saint* pourrait peut-être me faire la leçon, mais que le diable m'emporte si je me laisse critiquer par les hommes qui mènent le monde aujourd'hui.

E. Fruitier — Il vaudrait peut-être mieux changer de sujet... et... questionner Darwin sur sa théorie de l'évolution.

Galilée — Bonne idée. Qu'est-ce qui vous a amené à votre spécialité, Darwin?

Darwin — Dès ma jeunesse, j'ai eu pour les sciences naturelles un intérêt que j'ai toujours conservé. Pour toutes sortes de raisons, dont je vous fais grâce, j'ai abandonné des études en médecine...

Galilée — Tiens, quelle coïncidence, moi aussi!

Darwin — Puis, après trois ans, j'ai également abandonné la théologie. C'est alors qu'on m'a offert de m'embarquer comme naturaliste à bord d'un vaisseau hydrographique de la marine royale, le Beagle. C'était un brick de deux cent quarante-deux tonnes qui partait pour un voyage autour du monde. Cette perspective m'intéressait énormément.

E. Fruitier — L'histoire nous apprend que vous avez accepté, heureusement! Quel âge aviez-vous quand vous avez entrepris ce voyage?

Darwin — Je n'avais que vingt-deux ans quand nous avons quitté le port de Plymouth le 27 décembre 1831.

E. Fruitier — Vous avez mis combien de temps?

Darwin — Nous ne sommes revenus en Angleterre que cinq ans plus tard. Avec le recul, j'estime que ces cinq années ont constitué ma vraie éducation. À mon retour, mes carnets étaient bourrés de notes, ma tête, d'idées et mes coffres, de spécimens de toutes sortes que j'avais recueillis un peu partout autour du monde.

Galilée — Et c'est à partir de votre étude de la nature que vous avez commencé à développer vos théories?

Darwin — Précisément! Une idée fascinante m'était venue de l'observation des pierres.

E. Fruitier — Des pierres?

Darwin — Oui: j'ai trouvé plusieurs squelettes fossilisés de mammifères et d'autres animaux dans des pierres.

E. Fruitier — Et qu'est-ce que cela vous a suggéré?

Galilée — Avant que Darwin ne réponde... mettez-vous à sa place un instant. Vous examinez une pierre qui date peut-être d'un million d'années. Vous y trouvez la trace fossile d'un insecte ou d'une taupe. Demandez-vous ce que cela signifie. C'est cela la science créatrice, excitante!

Darwin — Tout à fait. Les fossiles démontraient que la vie animale était probablement aussi ancienne que les pierres qui remontent à des centaines de milliers d'années. Une telle affirmation n'a rien d'extraordinaire aujourd'hui, mais il y a cent ans, elle était révolutionnaire! Dans ce temps-là, la plupart des gens croyaient que la terre elle-même n'avait que quelques milliers d'années. Une autre chose m'a impressionné, ce sont les nombreuses différences entre individus d'une même espèce recueillis à une distance appréciable les uns des autres. Ils n'avaient pas les mêmes caractéristiques. La tête avait une forme différente, les pattes étaient plus longues... ils semblaient avoir été modifiés par leur environnement.

Galilée — Quelle découverte stimulante! Comme je vous envie!

Darwin — J'en ai conclu que les espèces animales ne sont pas immuables, mais qu'elles *évoluent* graduellement.

Anna — Mister Darwin, nous savons que votre théorie vous a causé bien des déboires; on vous a violemment critiqué, tout comme on l'avait fait pour Galilée dans son temps. Ce que je ne comprends pas, c'est qu'on vous ait fait tant de misères pour une théorie qui repose sur le gros bon sens.

Darwin — Mais chère comtesse, les problèmes n'ont commencé que plus tard, au moment où j'ai énoncé que tous les êtres vivants descendaient d'un ancêtre commun, *y compris l'homme*.

Galilée — Ah, ce qu'on a dû crier pour avoir votre tête quand vous avez dit cela!

Darwin — Vous avez raison. J'aurais peut-être dû me limiter aux pinsons, aux tortues et aux lézards, les théologiens m'auraient fiché la paix! Mais quand j'ai dit que l'homme avait été soumis à la même évolution physique, ils me sont tombés dessus.

Galilée — Ce qui arrive, comtesse, c'est que la plupart des hommes, quoi qu'ils disent et quoi qu'ils pensent, ne recherchent pas vraiment la vérité; ils recherchent ce qui concorde avec leurs croyances.

Anna — Avez-vous fait publier vos découvertes immédiatement?

Darwin — Non, en 1859 seulement, vingt-huit ans après la fin de mon voyage sur le Beagle. J'avais beaucoup hésité, n'étant pas certain que ma théorie était suffisamment étayée. Quand je me suis rendu compte que mon ami, Alfred Russel Wallace était arrivé, de son côté, aux mêmes conclusions que moi, j'ai décidé de publier «De l'origine des espèces». Je n'ai fait tirer que mille deux cent cinquante copies qui ont toutes été vendues le premier jour.

Galilée — Et, la réaction?

Darwin — Euh... du pour et du contre! J'ai surtout retenu celle du brillant biologiste Thomas Huxley qui est immédiatement devenu un de mes plus ardents défenseurs.

Anna — C'est très intéressant ce que vous dites là: un de ses petits-fils, Julian, lui aussi grand biologiste, a toujours appuyé la théorie de l'évolution. De son autre petit-fils, Aldous Huxley, poète, romancier et peintre, je n'ai sûrement pas assez de temps ce soir pour dire tout le bien que je pense.

E. Fruitier — Cela me rappelle le mot que Maurice Barrès vous adressait un jour : « Croyez bien, madame, que je pense de vous tout ce que vous en dites » Qu'avez-vous à nous dire de vous-même, comtesse ?

Anna — Tant... et si peu de choses, jeune homme ! *(Pause)* Que je me suis toujours sentie inutile, mais irremplaçable !... Que rien au monde ne m'est plus cher que les trente-sept degrés de la chaleur humaine !... Que toute petite fille, j'ai prié pour avoir et posséder un jour un enfant né de moi seule... Que dans mon œuvre, je me suis toujours attachée à refléter la vie... Que je trouve que la tour Eiffel a l'air d'un fabuleux cyprès mécanique... Que dès ma jeunesse, j'ai condamné et rejeté les lois vaines qui entravent la poésie parce que la poésie doit être un abandon et non une contrainte... Qu'en amour, il faut renoncer à la fable d'être deux et admettre l'amère constatation qu'on est seule avec quelqu'un... Que j'avais, en moi, de quoi rêver pendant des siècles... Que j'adorais aller...

E. Fruitier — Que de choses, comtesse, venant d'une femme qu'on voyait et qu'on entendait partout et dont la vie reste pourtant un mystère.

Anna — Mais cher Monsieur... *(Elle cherche)*... comment déjà ?

E. Fruitier — Fruitier.

Anna — Merci ! Cher monsieur Fruitier, les dîners chez Marcel Proust, chez la princesse de Polignac, chez Alphonse Daudet, mon voyage à la Société des Nations avec le président Paul Painlevé, mon apparition, aux côtés du président Henriot, au Quay d'Orsay, lors de la réception en l'honneur de Charlie Chaplin, tout cela faisait partie de mon destin, de ma vocation, de ma mission. Je voulais, je vous l'ai dit plus tôt, laisser mon empreinte, me léguer à l'avenir. Je voulais déchiffrer les secrets de la beauté et les communiquer à tous ceux qui pouvaient m'entendre. À cette fin, et à cette fin seulement, je n'avais aucune pudeur à montrer mon âme, à la mettre à nu.

E. Fruitier — Oui, mais, comtesse, vous avez tant écrit sur l'amour, sur la communication entre hommes et femmes que votre vie a dû être excitante, enrichissante et pourtant, elle demeure un mystère, même pour vos amis.

Anna — Jeune homme, *ma* poésie, je l'ai laissée à l'univers, c'est l'affaire de tout le monde ; mais *ma* vie c'est à moi, ça ne regarde que moi et je n'admets pas qu'on y touche, je n'admets pas cette curiosité maladive qui ne saurait alimenter que la médisance... ou la calomnie. Tenez-vous-le pour dit.

E. Fruitier — Entendu. Comtesse, la télévision a des exigences, hélas, que la T.S.F., la radio de votre temps, n'avait pas et nous devons, messieurs, chers téléspectateurs, nous arrêter pour une pause publicitaire.

Galilée — Une pause publicitaire?

E. Fruitier — Je vais vous expliquer durant la pause.

• • •

Galilée — Le commanditaire aide Radio-Canada à présenter cette émission?

E. Fruitier — Voilà!

Galilée — J'aurais bien aimé en avoir un pour m'aider à faire mes recherches!

E. Fruitier — Vous ne vous êtes quand même pas mal tiré d'affaire! Continuons notre conversation avec Galilée, Darwin, Attila et la comtesse Anna de Noailles.

Comtesse, cette photo vous dit-elle quelque chose?

Anna — *(Ravie)* Mon paradis à Amphion au bord du lac Leman! Il faut d'abord vous dire que mon père avait acquis cet élégant chalet entouré d'orangers du comte Walewski, le fils naturel de Napoléon 1er et de Marie Walewska. Ah, Amphion! les platanes qui étendaient leur voûte verte sur le lac, les allées de rosiers, les héliotropes... *(Elle revient à la photo)* Oh! Que les arbres ont grandi! À droite au premier, là *(Pointant du doigt)*, c'était ma chambre. Oui, un paradis... qui aurait été encore plus parfait si les framboises, mon fruit préféré, n'avaient pas eu de pépins! *(Elle remet la photo à Edgar)* Merci beaucoup monsieur Fruitier. Aujourd'hui, vous vivez dans le monde de l'automobile, des jets, de la télévision et d'un tas de machines qui font un vacarme infernal. Amphion, c'était la paix et la nature, un jardin aussi beau que ceux d'Orient, un jardin d'avant Adam et Eve. C'est là que j'ai commencé à composer des petites peintures verbales où:

« Le lac tout embué d'avoir noyé l'aurore
Encense de vapeurs le paresseux été »

« Du matinal plaisir du soleil dans l'herbage
Dessinant des ruisseaux d'intangible cristal. »

E. Fruitier — Je me souviens de votre description d'un matin qui, comme un frelon, pique la nature.

Anna — Ah oui !:

> « Ô lumineux matin, jeunesse des journées
> Matin d'or, bourdonnant et vif comme un frelon,
> Qui piques chaudement la nature, étonnée
> De te revoir après un temps de nuit si long,
>
> Matin, fête de l'herbe et des bonnes rosées,
> Rire du vent agile, œil du jour curieux,
> Qui regarde les fleurs, par l'ombre reposées,
> Dans les buissons luisants s'ouvrir comme des yeux,
>
> Heure de bel espoir qui s'ébat dans l'air vierge,
> Emmêlant les vapeurs, les souffles, les rayons,
> Où les coteaux herbeux, d'où l'aube blanche émerge,
> Sous les trèfles touffus font chanter les grillons ;
>
> Instant salubre et clair, ô fraîche renaissance,
> Gai divertissement des guêpes sur le thym,
> Tu écartes la mort, les ombres, le silence,
> L'orage, la fatigue et la peur, cher matin... »

E. Fruitier — Vous aimiez passionnément la nature, que représente-t-elle pour vous?

Anna — Je l'ai écrit dans un poème de ma première œuvre, « Le Cœur innombrable ».

> « Nature au cœur profond sur qui les cieux reposent,
> Nul n'aura comme moi si chaudement aimé
> La lumière des jours et la douceur des choses,
> L'eau luisante et la terre où la vie a germé.
>
> La forêt, les étangs et les plaines fécondes
> Ont plus touché mes yeux que les regards humains,
> Je me suis appuyée à la beauté du monde
> Et j'ai tenu l'odeur des saisons dans mes mains. »

(Galilée prend un volume et le feuillette)

E. Fruitier — Vous avez commencé bien jeune à composer des vers.

Anna — Oui, probablement parce que j'ai eu la chance de vivre dans un milieu favorable à mon épanouissement. J'ai été élevée parmi des académiciens, par une mère musicienne et sensible à qui je dois tout. Des amis de la famille m'ont beaucoup aidée et encouragée: le grand Mistral, que je n'ai jamais oublié, Sully Prud'homme, ce beau grand vieillard aux yeux d'ange et à la barbe d'évêque, qui a accueilli mes poèmes d'enfant avec allégresse. Cependant, je n'ai pas voulu me soumettre à son classicisme rigide ; j'ai préféré laisser les fleurs s'épanouir tandis que son académisme le forçait à mettre des carcans aux corolles. Enfin, tout cela s'est terminé, ou plutôt tout a commencé quand « Le Coeur innombrable » est paru en 1901 et a été couronné par l'Académie Française.

Galilée — Justement, je feuilletais le volume, comtesse, et j'ai trouvé ce poème qui est sûrement parmi les plus beaux de la langue française.

Anna — Vous êtes très gentil, merci, grand Galilée.

Galilée — Je vous en prie, dites-le pour nous.

Anna — « Il fera longtemps clair ce soir, les jours s'allongent,
La rumeur du jour vif se disperse et s'enfuit,
Et les arbres, surpris de ne pas voir la nuit,
Demeurent éveillés dans le soir blanc, et songent...

Les maronniers, sur l'air plein d'or et de lourdeur,
Répandent leurs parfums et semblent les étendre ;
On n'ose pas marcher ni remuer l'air tendre
De peur de déranger le sommeil des odeurs.

De lointains roulements arrivent de la ville...
La poussière, qu'un peu de brise soulevait,
Quittant l'arbre mouvant et las qu'elle revêt,
Redescend doucement sur les chemins tranquilles.

Nous avons tous les jours l'habitude de voir
Cette route si simple et si souvent suivie,
Et pourtant quelque chose est changé dans la vie,
Nous n'aurons plus jamais notre âme de ce soir... »

Galilée — Merci beaucoup, comtesse.

E. Fruitier — Que c'est beau ! Un de mes poèmes favoris est celui où vous parlez de vos cheveux bleus comme des prunes.

Anna — Oui, oui. *(Elle tourne quelques pages, puis lit)*

L'Image

« Pauvre faune qui vas mourir,
Reflète moi dans tes prunelles
Et fais danser mon souvenir
Entre les ombres éternelles.

Va, et dis à ces morts pensifs,
À qui mes jeux auraient su plaire,
Que je rêve d'eux sous les ifs
Où je passe petite et claire.

Tu leur diras l'air de mon front
Et ses bandelettes de laine,
Ma bouche étroite et mes doigts ronds
Qui sentent l'herbe et le troène.

Tu diras mes gestes légers
Qui se déplacent comme l'ombre
Que balancent dans les vergers
Les feuilles vives et sans nombre.

Tu leur diras que j'ai souvent
Les paupières lasses et lentes,
Qu'au soir je danse et que le vent
Dérange ma robe traînante.

Tu leur diras que je m'endors
Mes bras nus pliés sous ma tête,
Que ma chair est comme de l'or
Autour des veines violettes.

Dis-leur comme ils sont doux à voir
Mes cheveux bleus comme des prunes,
Mes pieds pareils à des miroirs
Et mes deux yeux couleur de lune,

Et dis-leur que dans les soirs lourds,
Couchée au bord frais des fontaines,
J'eus le désir de leurs amours
Et j'ai pressé leurs ombres vaines. »

E. Fruitier — Comtesse, je suis, nous sommes tous choyés et ravis.

Anna — Merci Monsieur

E. Fruitier — On a dit que vous étiez avide de gloire. Colette raconte que vous l'avez accablée un jour du reproche suivant: « Vous, aimer? »

(Anna enchaîne avec lui)

E. Fruitier et Anna — « Vous n'aimez même pas la gloire! »

E. Fruitier — Et par contre, Cocteau vous a semoncée à sa manière : « Anna, vous voulez être de votre vivant un buste, mais avec des jambes pour courir partout ». Pourtant, ceux qui vous ont connue, petite fille, disent qu'à ce moment-là, vous étiez tout le contraire ; avez-vous eu une enfance heureuse, comtesse ?

Anna — La plupart du temps, oui. J'ai éprouvé des moments de grand bonheur, de calme et de sérénité que j'ai tenté de traduire dans le poème que voici :

> « Quand j'étais une enfant, j'aimais sur la colline
> M'asseoir dans la chaleur légère des épis
> Et voir se bousculer les épaisses brebis
> Vers la racine torve et les claires épines.
>
> Mon puéril esprit, qui parcourait le temps
> Me situait parmi les herbes de Sicile,
> Et, calme, j'amassais le frais lointain des îles
> Où comme moi rêvaient les filles au printemps...
>
> Je me croyais l'enfant que le destin désigne
> Pour surveiller le monde et chercher ses secrets,
> Et j'ai loyalement, des astres aux forêts,
> Observé l'apparence et déchiffré les signes.
>
> Suaves coloris dont l'esprit se repaît !
> Plus tard, quand les désirs brisent tout équilibre,
> J'ai souvent souhaité retrouver cette paix
> De l'enfant méditant près du troupeau qui paît
> Et dont l'empressement astucieux et libre
> Imprimait au sol vert, par leurs fronts abaissés,
> La forme de l'étreinte et celle du baiser ».

E. Fruitier — Il y a évidemment eu un changement abrupt entre votre enfance retirée à Amphion et votre vie de célébrité.

Anna — Ma vie est mon affaire !

Darwin — Mais c'est dommage, comtesse, que vous soyiez une énigme pour nous, simplement parce que nous savons trop peu de choses sur votre vie.

Anna — M. Darwin le peu que nous sachions de quoi que ce soit n'est qu'un grain de sable, comparé à l'immense Sahara de ce que nous en ignorons, d'accord ?

Darwin — Tout à fait.

Anna — Eh bien, c'est la même chose pour les êtres humains ! C'est ce que j'ai voulu exprimer dans ce poème de mon livre « Les forces éternelles ».

« C'est après les moments les plus bouleversés
De l'étroite union acharnée et barbare,
Que, gisant côte à côte et le front renversé,
Je ressens ce qui nous sépare !

Tous deux nous nous taisons, ne sachant pas comment,
Après cette fureur souhaitée et suprême,
Chacun de nous a pu, soudain et simplement,
Hélas ! redevenir soi-même.
Vous êtes près de moi, je ne reconnais pas
Vos yeux qui me semblaient brûler sous mes paupières ;
Comme un faible animal gorgé de son repas,
Comme un mort sculpté sur sa pierre.

Vous rêvez immobile, et je ne puis savoir
Quel songe satisfait votre esprit vaste et calme,
Et moi je sens encore un indicible espoir
Bercer sur moi ses jeunes palmes !

Et je vous vois content ! Ma force nostalgique
Ne surprend pas en vous ce muet désarroi
Dans lequel se débat ma tristesse extatique.
Que peut-il y avoir, ô mon amour unique,
De commun entre vous et moi ! »

Vous voyez que plus on est près de quelqu'un, plus l'horizon de
son âme s'éloigne de nous. On voudrait assimiler l'autre mais
c'est impossible. Et si on se regarde soi-même, c'est encore vrai.
Le conseil de mes chers ancêtres grecs : « Gnauti séoton »,
connais-toi toi-même, nous propose un idéal, c'est-à-dire une
chose vers laquelle on tend sans cesse, sans jamais l'atteindre.
Chacun a le droit de vivre seul et de mourir seul s'il le veut. *(Elle
pousse un grand soupir de lassitude et dit à Edgar Fruitier)* Et
maintenant, jeune homme, parlez à ma place, vous y réussirez
mieux que moi : je suis morte !

E. Fruitier — Merci, comtesse. Passons donc à Galileo Galilei. Je
dois vous avouer, signor, que chaque fois que je prononce votre
nom, j'ai l'impression de jodler : *(Jodlant)* Galileo Galilei !...

Galilée — *(Riant)* Vous n'êtes pourtant pas tyrolien !

E. Fruitier — Non, mais mélomane ! Bon soyons sérieux. La comtesse nous a parlé de sa jeunesse, racontez-nous donc la vôtre.

Galilée — Mes parents m'ont donné une enfance pleine de
bonheur et de sécurité puis, à dix-sept ans, je suis entré à
l'université de Pise pour étudier la philosophie et la médecine.

Darwin — Ah, comme j'aimerais voyager dans le temps, Galilée, et connaître ces grandes universités de Pise, de Bologne, de Paris.

Galilée — C'était très stimulant, mais j'exécrais leur scolastique dogmatique dont tous les arguments commençaient et finissaient par Aristote.

Attila — Vous n'aimiez pas ce philosophe grec?

Galilée — Si, mais j'avais l'impression que les gens ne se servaient pas de lui pour éclairer leurs esprits mais plutôt pour justifier leurs rengaines dogmatiques.

Darwin — Ce n'est pas facile de déterminer jusqu'à quel point nous devons accepter les enseignements des grands de l'histoire.

Galilée — Naturellement, nous devons tenir compte des découvertes des grands esprits qui nous ont précédés et ne pas ignorer leur sagesse. Cependant, notre admiration ne doit pas nous faire oublier qu'ils étaient humains et qu'ils ont donc inévitablement fait, quelques fois, des erreurs. Aristote était un grand philosophe mais un piètre scientifique. Ainsi, il enseignait que les cieux, c'est-à-dire les étoiles et les planètes, sont parfaits, comparés à la terre qui est imparfaite.

E. Fruitier — Mais ça n'a ni rime ni bon sens!

Galilée — Ah! vous auriez dû être là pour m'aider quand je combattais cette affirmation fallacieuse! Si Aristote avait raison, il s'ensuivait que la terre ne pouvait pas être une planète en mouvement comme les autres planètes du ciel. Or l'alternative au *mouvement* c'est l'état de repos, l'inertie; c'est pourquoi, même les universitaires présumaient que la terre était immobile. Leur croyance aveugle aux enseignements d'Aristote les empêchait de constater les réalités physiques de leur monde.

E. Fruitier — Pourtant, le simple bon sens nous dit que...

Galilée — Ah non, monsieur Fruitier! Méfiez-vous du bon sens: nos sens peuvent nous informer mais ils peuvent aussi nous tromper. Démonstration: Attila, mon ami!

Attila — Oui?

Galilée — Diriez-vous que le soleil et la lune sont à peu près de la même grosseur?

Attila — Mais oui, c'est évident!

Galilée — *(À E. Fruitier)* Voilà! Parce que c'est ainsi qu'ils apparaissent à l'œil nu. *(À Attila)* En fait, la lune est beaucoup plus petite que la terre tandis que le soleil est plusieurs fois plus gros qu'elle. Mais pour répondre à de telles questions, il faut avoir recours à des méthodes scientifiques. Mon télescope a démontré sans aucun doute qu'Aristote avait tort au sujet de l'immobilité de la terre.

E. Fruitier — Cent ans avant vous, Copernic avait élaboré cette théorie que vous avez finalement démontrée. Était-ce encore dangereux d'appuyer publiquement son point de vue?

Galilée — Et comment! et c'est précisément pour cela que j'ai tardé à publier mes opinions. J'espérais pouvoir faire comme Copernic qui n'a livré son œuvre au public que quelques jours avant sa mort, de peur d'avoir à subir les foudres et même les tortures des théologiens.

E. Fruitier — Malgré tout, vous avez publié votre « Message des étoiles » en 1610, qu'est-ce qui vous a décidé?

Galilée — *Tout* ce que j'avais découvert en étudiant les astres avec mon télescope; j'avais des preuves irréfutables et j'ai annoncé en même temps l'invention du télescope et mon appui à la théorie héliocentrique de Copernic.

Attila — Héliocentrique?

Galilée — Du grec, hélios, c'est-à-dire qui considère le soleil, comme le centre de notre système, par opposition à la théorie géocentrique de Ptolémée qui prétendait que tout tournait autour de notre terre centrale.

Anna — Et comment votre livre a-t-il été reçu?

Galilée — Mal!... Presque tous les académiciens y étaient hostiles. Ils prêtaient foi aux théories d'Aristote plutôt qu'aux preuves scientifiques que je leur offrais. Sans compter ceux qui s'appuyaient sur l'infaillibilité des Saintes Écritures.

Anna — Toute l'Église s'était liguée contre vous, évidemment!

Galilée — L'Église officielle, oui, mais plusieurs de mes amis et partisans étaient des ecclésiastiques comme le moine Benedetto, brillant professeur de mathématiques à Pise et surtout l'astronome jésuite Clavius, qui avait travaillé à la réforme du calendrier pour lequel le pape Grégoire a reçu tout le crédit. Au début, le père Clavius a ri de mes découvertes mais il fut assez intelligent, lui, pour mettre l'œil à mon télescope. Après cela, il concéda que ma théorie était juste, en substance.

Anna — Donc, vous vous entendiez bien avec les membres du clergé?

Galilée — Avec certains d'entre eux. Par contre... j'ai appris que Thomas d'Aquin a déjà été invité à cette émission. Il a dû se vanter que son ordre, les dominicains, étaient les experts de la détection et de l'extermination des hérétiques?

E. Fruitier — En effet.

Galilée — Alors, vous allez comprendre que ceux qui m'ont donné le plus de fil à retordre ont été les dominicains, ces... *(Très péjoratif)* policiers de la philosophie.

Anna — Parce que vos arguments venaient en conflit avec les Écritures?

Galilée — Pas du tout comtesse. À l'époque j'ai dit ceci: « bien que les Écritures ne puissent pas faire erreur, les interprètes, eux, le peuvent ». Par contre, il serait encore plus dangereux de prendre la Bible au sens littéral, ce qui amènerait des contradictions, des hérésies graves et des blasphèmes car alors il faudrait donner à Dieu des mains, des pieds et des oreilles, des comportements humains tels que la colère, le repentir, la haine, l'oubli des choses passées aussi bien que l'ignorance du futur. »

Bien des passages de la Bible, pris au sens strict, sont contraires à la vérité. Ils ont été rédigés de la sorte pour les rendre accessibles à ceux qui n'ont pas eu la chance d'être éduqués. Donc, il faudrait redonner aux Écritures leur vrai sens et expliquer pourquoi elles ont utilisé toutes ces images. Ce n'est pas une mince entreprise et si vous ajoutez à cela les problèmes de traduction, vous provoquez inévitablement des controverses, vous semez le doute, alors qu'il n'y a de place ni pour le doute ni pour les controverses quand on traite des faits évidents du monde physique qui nous entoure. Contrairement aux Écritures, confusément rédigées, la nature est immuable et inexorable et il lui est bien égal que ses raisons secrètes, ses modes d'opération soient au-dessus ou en dessous de l'entendement humain: la science ne laisse pas de place à l'interprétation.

Anna — Je n'arrive toujours pas à comprendre, signor Galilée, que des arguments si logiques aient pu susciter tellement d'opposition.

Galilée — *(Sourire avisé)* Chère contesse, même aujourd'hui, quelqu'un qui dit la vérité, sans l'enrober de sucre, se place dans de mauvais draps lorsque ses énoncés gênent soit les gens au pouvoir, soit les sentiments des masses ignorantes.

E. Fruitier — Qui, en particulier, s'est attaqué à vous?

Galilée — Bien des gens. Par exemple, l'évêque de Fiesole qui voulait que je sois puni et qui voulait faire emprisonner Copernic. Le pauvre, il ne savait pas que Copernic était mort depuis cent ans!

E. Fruitier — Et les dominicains eux...?

Galilée — Je dois à la vérité de dire que le prêcheur-général des dominicains m'a envoyé une lettre d'excuses: « Malheureusement, écrivait-il, je dois répondre de toutes les idioties que trente ou quarante mille de mes frères peuvent dire ».

Attila — Trente ou quarante mille hommes peuvent dire pas mal d'idioties!

Galilée — Et comment! N'empêche qu'en 1615, le père Lurinie et d'autres dominicains ont porté mes écrits à l'attention de l'Inquisition.

E. Fruitier — Tiens, on y revient! Tous les historiens qui en parlent la critiquent avec véhémence, cependant je...

Anna — Vous n'allez quand même pas me dire qu'elle était justifiée!

Galilée — Je crois que si.

Anna — Vraiment?

Galilée — Pour comprendre l'Inquisition, il faut la replacer dans son contexte historique. L'Europe venait de vivre la Réforme protestante et la Contre-Réforme catholique et se dirigeait vers la guerre de Trente ans, une guerre de religion.

Attila — Des chrétiens qui tuent d'autres chrétiens!

Galilée — Hélas, oui! C'était une époque très instable et les chefs autant que le peuple, les catholiques autant que les protestants croyaient qu'une religion unique était une condition de la sécurité d'État et de la sécurité personnelle.

Darwin — C'est très juste. Même aujourd'hui monsieur Fruitier, les pacifistes, les végétariens, les socialistes et tous ceux qui ont des idées nouvelles ne risquent peut-être pas l'arrestation ni l'emprisonnement mais s'exposent souvent à de graves dangers matériels. En cela, votre époque n'est pas différente du passé.

Galilée — Dans mon temps, tout cela venait de Thomas d'Aquin qui avait dit: « comme l'âme est plus importante que le corps, il s'ensuit que si l'emprisonnement et la peine de mort sont un juste châtiment pour ceux qui blessent le corps, ils le sont encore plus pour ceux qui s'attaquent à l'âme ». Il entendait par là ceux qui prêchaient des doctrines contraires aux siennes.

Anna — En Europe, dans mon temps, les gens étaient beaucoup moins cruels, moins dogmatiques, plus larges d'esprit.

Galilée — Chère comtesse, vous avez dû vivre dans un monde à part! Ni les catholiques ni les protestants ne peuvent se glorifier de la manière dont ils ont traité ceux qui ne pensaient pas comme eux, même en Europe, même dans votre temps.

Darwin *(Yvon Dufour)*, Galilée *(Luc Durand)*.

Darwin — Oui hélas, les chrétiens de toutes les sectes et de toutes les époques se sont arrogé le droit de soumettre les humains aux pires tortures, de les emprisonner dans des donjons infects sans procès, de les brûler vivants, afin de sauver leurs âmes et de sauver l'État.

Galilée — Et n'oubliez pas que c'est le grand chef protestant Calvin qui a condamné au bûcher le théologien Michel Servet, et que c'est le célèbre cardinal jésuite Robert Bellarmin, canonisé par Pie XI au XXe siècle, qui signa le décret de l'Inquisition condamnant au bûcher le grand philosophe et ex-dominicain Giordano Bruno.

Anna — Quelle barbarie!

Attila — Et tout ce temps-là, c'est moi qu'on a surnommé « Le fléau de Dieu »!

Galilée — Bref, le trois mars 1616, le cardinal Bellarmin a annoncé que je m'étais soumis au Vatican et pendant huit ans, j'ai gardé le silence presque total sur des sujets qui pourtant, me tenaient à cœur.

E. Fruitier — Qu'est-il advenu de votre vie de famille durant ce temps?

Galilée — Votre question pourrait être embarrassante, car bien que j'aie eu trois enfants de ma chère Marina Gambi, nous ne nous sommes jamais mariés. En 1611, j'ai placé nos deux filles dans un couvent et l'aînée, Polinessa, qui avait alors treize ans, est plus tard devenue religieuse.

E. Fruitier — Saviez-vous que l'on a conservé cent vingt-quatre des lettres qu'elle vous a écrites de 1623 à sa mort en 1634?

Galilée — Tant mieux, et ceux qui les liront verront tout l'amour que nous avions l'un pour l'autre.

Darwin — Vous avez fini par rompre ce silence que l'Église vous avait imposé n'est-ce pas?

Galilée — Oui, au moment où mon ami, le cardinal Maffeo Barberini, est devenu le pape Urbain VIII en 1623, je me suis remis à écrire et à donner des conférences. Cependant, la... *«Congrégation de la suprême Inquisition»* s'acharna contre moi et me fit condamner sévèrement en 1633.

Anna — Et, votre... *ami*, le pape?

Galilée — Hélas, Urbain VIII, n'a pas été un bon chef religieux: il s'est beaucoup plus employé à augmenter le pouvoir temporel, militaire et financier de l'Église que son influence spirituelle.

Attila — Il n'y a rien de mal à cela!

Galilée — Peut-être pas, mais ce n'est pas ce que l'on attend du vicaire du Christ. Finalement, il s'est tourné contre moi, mais je dois dire que, durant mon procès, il m'a fait loger dans des locaux confortables et a mis un serviteur à ma disposition.

Darwin — Il vous a traité beaucoup mieux que les despotes d'aujourd'hui traitent leurs... « hérétiques » !

Galilée — N'empêche que le seize juin 1636, la « *Congrégation de la suprême Inquisition* » a décidé que je devais être interrogé quant à mes intentions, jusqu'à la *torture* physique, si nécessaire.

Anna — Non !

Galilée — Si ! Que je devais *renier* mes affirmations publiques, que je devais être emprisonné, au gré de la congrégation et que je ne devais jamais plus répandre mes enseignements.

E. Fruitier — Certains ont prétendu que vous avez manqué d'échine devant l'Inquisition.

Attila — Tout ce que je souhaite aux critiques de Galilée, c'est de passer par les mêmes malheurs que lui.

Galilée — Merci. Il ne fait aucun doute que j'aurais pu me conduire plus héroïquement. En guise d'explication, et non pas d'excuse, je vous dis qu'à ce moment-là ma santé était chancelante, que j'étais un vieillard, conscient que ceux qui avaient subi les foudres de l'Église avaient été emprisonnés, torturés, brûlés vifs.

Permettez : *(Il frotte une allumette de bois, puis la présente à Edgar)* Voulez-vous mettre un doigt au-dessus de cette flamme, juste quelques secondes ?

E. Fruitier — Bien sûr que non !

Galilée — Parce que la douleur serait insupportable, même pour un seul doigt. Peut-être que dorénavant, l'expression « aller au bûcher » va créer une image plus vive dans votre esprit. *(Il souffle l'allumette)* D'accord je n'ai pas été héroïque mais je n'ai jamais prétendu l'être. J'ai donc été emprisonné au gré de mes juges et condamné à réciter les « Sept psaumes de la pénitence » une fois par semaine durant trois ans.

Darwin — Et vos écrits ont été mis à l'index ?

Galilée — Oui, où ils sont restés presque deux siècles, jusqu'à ce que l'astronome officiel du Vatican, Settele, convainque l'Église, en 1822, de l'ineptie de sa position.

Anna — L'Église n'est jamais pressée ! Elle a l'éternité de son côté !

Galilée — Mieux vaut tard que jamais, mais attendre sa justification deux cents ans, c'est long ! *(Il songe un instant puis se met à rire)*.

E. Fruitier — Qu'est-ce qui vous fait rire?

Galilée — De penser que depuis l'encyclique « Providentissimus » de Léon XIII en 1893, mes vues sur l'interprétation des Écritures font partie de la doctrine *officielle* de l'Église catholique.

Anna — Cela doit être réconfortant pour vous!

Galilée — Oui, mais il ne faut pas prendre pour acquis les progrès accomplis durant les siècles précédents. La leçon de l'Inquisition n'a pas réussi à empêcher les camps de concentration nazis ni les purges staliniennes

E. Fruitier — Si jamais Karl Marx revient à cette émission, je ne manquerai pas de le lui rappeler.

Darwin — On dit que le ridicule dont vous avez si spirituellement couvert vos adversaires les a exaspérés et vous a attiré votre malheureux sort.

Galilée — Bien sûr, j'étais un polémiste vigoureux, comme certains des premiers chrétiens qui se sont ainsi attiré la mort dans les arènes, sur la croix ou au bûcher. Mais vous ne pouvez pas justifier mes adversaires parce que je me suis moqué d'eux. J'avais découvert une parcelle de vérité et je me sentais obligé de la partager avec le reste du monde. Je n'étais ni héros, ni martyr, mais cela ne donne pas plus raison à mes persécuteurs.

E. Fruitier — Eh bien, comtesse, messieurs, il ne nous reste déjà plus de temps, mais j'aimerais vous revoir tous la semaine prochaine pour continuer notre discussion passionnante. Est-ce possible?

(Tous acquiescent)

Nous demanderons à Galilée et à Darwin de nous parler plus longuement de leurs découvertes, à Attila de nous dire ce qu'il pense du monde d'aujourd'hui et de ses batailles contre les Romains et, finalement, nous espérons que la comtesse de Noailles voudra bien nous parler de l'amour et d'autres de ses remarquables poèmes.

Anna — Mais avec un plaisir *empressé*!

Edgar — Merci, au revoir.

3

deuxième partie

E. Fruitier — Bonsoir.

(Il regarde autour de lui. Devant le foyer, Galilée et Darwin conversent. Près de la porte, Attila est intrigué par un tableau non représentatif)

E. Fruitier — La comtesse n'est pas là?

Galilée — Non, nous ne l'avons pas vue.

E. Fruitier — Et vous, Attila, l'avez-vous vue?

Attila — Non, pas vue. *(Riant)* Elle en avait peut-être assez de se faire traiter de baronne!

E. Fruitier — Ah, c'est très embêtant!

Attila — Pas du tout, au contraire: on pourra discuter... plus à l'aise entre hommes. On n'a qu'à commencer maintenant et c'est elle qui sera bien attrapée!

E. Fruitier — *(Réfléchit un moment, puis indique leurs fauteuils aux invités)* Messieurs... *(Au public)* Mesdames, messieurs, nous nous excusons de l'absence de la comtesse de Noailles, mais il n'est évidemment pas question de vous faire attendre. Nous allons donc continuer notre conversation... mais d'abord, que je présente nos invités à ceux qui n'étaient pas avec nous la semaine dernière. Attila, roi des Huns, qui refuse qu'on l'appelle majesté!

Attila — Et comment! D'ailleurs, c'est un titre qui n'est plus très, très à la mode!... et qui, souvent, fait perdre la tête!!!

E. Fruitier — Attila dont les armées ont semé la terreur dans le cœur de millions d'Européens du Ve siècle. Charles Darwin, le grand scientifique qui a ébranlé le monde entier avec sa théorie de l'évolution.

Darwin — *(Pour Attila)* Il valait mieux le faire penser que le faire souffrir!

Attila — Bon! Ça recommence.

E. Fruitier — Et enfin, le brillant mathématicien et physicien qui a créé la science de la dynamique alors que tous ses prédécesseurs avaient étudié la matière à l'état statique. Inventeur du thermomètre, du télescope et de la balance hydro-statique, mesdames et messieurs, Galileo Galilei.

Galilée — Grazie signor. *(Au public)* Bonsoir.

E. Fruitier — *(À Darwin)* La semaine dernière, Darwin, nous avons parlé des difficultés que vous avez éprouvées lorsque le clergé a cru que vos théories s'attaquaient à la religion.

Darwin — Ce qui était complètement faux! C'est plus flatteur pour Dieu de suggérer qu'il a mis en place le mécanisme merveilleusement complexe de l'évolution, que de prétendre qu'il n'a eu qu'à donner une série de coups de baguettes magiques pour créer les oiseaux, les poissons, etc... Je suis très heureux, M. Fruitier, de constater qu'aujourd'hui, tous les grands penseurs chrétiens peuvent concilier mes théories et leur foi.

E. Fruitier — *(À Attila)* Attila, vous nous avez parlé de vos invasions dans plusieurs pays d'Europe. En 451, vos armées ont balayé le nord de l'Italie jusqu'aux portes de Rome où elles se sont arrêtées.

Darwin — Mais oui, pourquoi n'avez-vous pas capturé la ville de Rome?

Attila — Pour plusieurs raisons: mes armées étaient affaiblies par la maladie; à ce moment-là, j'espérais épouser la fille de l'Empereur d'Orient et finalement, j'ai été impressionné par les arguments du pape Léon 1er qui était à la tête d'une délégation venue à ma rencontre.

E. Fruitier — Et Rome fut sauvée!

Attila — Pas pour longremps: Léon a essayé le même truc un an plus tard avec Genséric, le roi des Vandales, mais cette fois-là, ça n'a pas marché. Les troupes de Genséric ont attaqué et saccagé Rome et tué sans merci tous ceux qui leur résistaient.

E. Fruitier — *(Regarde vers l'escalier, ne voit toujours pas la comtesse)* Bon!... À l'intention de ceux qui auraient raté votre visite parmi nous la semaine dernière, mon cher Galilée, je veux rappeler que vous nous avez fait part des misères que vous ont faites les autorités ecclésiastiques, alarmées par vos découvertes.

Galilée — Qui prouvaient que la terre n'était qu'une petite planète dans l'espace infini. Ces messieurs me reprochaient d'être d'accord avec Copernic qui, plusieurs années plus tôt, avait imaginé que c'était le soleil et non la terre qui était au centre de notre système.

Attila — Qu'est-ce que ça pouvait bien faire que le soleil soit au centre de notre système ou n'importe où ailleurs dans l'espace?

Galilée — Aujourd'hui, Attila, les scientifiques aussi bien que les philosophes et les théologiens se rendent compte que ça ne change rien, que ça n'a jamais rien changé. Mais... les prêtres de mon temps croyaient le contraire.

Darwin — Et les croyances peuvent être très fortes Attila, même quand elles sont complètement erronées. Vous nous l'avez démontré vous-même la semaine dernière avec votre propagande...

Anna — *(De la coulisse, tout en entrant)* Ah messieurs, je suis à la fois désolée et ravie, malheureuse et enchantée; j'étais morte, il a fallu un miracle pour parvenir à me sortir du lit où je gisais mais me voici complètement remise et de nouveau parmi vous. Grand Galilée, cher Darwin, M. Fruitier.*(Elle offre sa main à baiser à E. Fruitier qui ne peut que s'exécuter. Elle jette un rapide coup d'œil pour saluer Attila. Il va lui prendre la main pour la baiser lui aussi, mais Anna la retire vivement puis s'assoit dans le fauteuil qu'E. Fruitier lui approche pendant qu'Attila se tape les cuisses de rire. Elle feint de l'ignorer)*

E. Fruitier — Le retard de la comtesse Anna de Noailles me semble symbolique de l'éclipse que son étoile a subie après qu'elle nous eut quittés en 1933. Comme bien d'autres grands poètes et écrivains, sa popularité, sa vogue, si j'ose dire, a disparu avec elle. Je ne doute pas que, comme les autres, elle va bientôt sortir de ce purgatoire et retrouver dans l'histoire et la littérature la place qu'elle occupait et qui lui convient. Comtesse, vous permettez que je vous pose quelques questions?

Anna — Oui, mais souvenez-vous, pas de curiosité malsaine, pas de ragots de concierges.

E. Fruitier — Comment aurais-je pu l'oublier? Voulez-vous nous parler de votre éducation?

Anna — Je n'ai fait, à l'école, qu'un cours primaire.

Attila — C'est pas beaucoup... mais c'est mieux que moi!!!

Anna — *(L'ignorant)* Une des choses que j'ai retenues de mon séjour à l'école, c'est d'avoir, un jour, refusé d'écrire en début de dictée: « Dieu est juste. » J'avais tant entendu médire, accabler et condamner au nom de la justice que je me suis entêtée à refuser en affirmant: « Si Dieu est juste, il ne saurait être bon ! »

Galilée — Et comme nous avons tous appris qu'il est infiniment bon, infiniment aimable... *(Il lève les mains vers le ciel)*

Anna — Ce n'est d'ailleurs pas la seule fois où je me sois élevée contre la conception populaire occidentale de Dieu qui ne cadrait pas du tout avec la mienne.

E. Fruitier — Racontez-nous...

Anna — Un soir, je m'étais disputée avec Jean Cocteau au sujet de sa lettre à Maritain. À bout d'arguments et de force, ce pauvre petit décida de partir subitement comme il le faisait parfois dans de semblables circonstances. Cette fois-là, hors de moi, je le poursuivis jusque sur le palier et, empoignant la rampe, lui criai: « Du reste, c'est simple, si Dieu existait, je serais la première à en être avertie ! »

E. Fruitier — Puisque vous n'avez fait que l'école primaire, pourrait-on dire que vous êtes autodidacte?

Anna — Pas tout à fait puisque mes professeurs ont été la nature dont je déchiffrais les secrets, les livres que je dévorais, les parents et amis qui m'ont fait bénéficier de leurs expériences, de leurs connaissances et de leurs conseils, le grand Paderewski qui m'a redonné le goût à la vie après la mort de mon père et enfin, celle qui m'a donné sa sensibilité, sa vie intérieure, sa musique, celle à qui je dois tout, ma mère.

E. Fruitier — Dites-nous, comtesse, qui furent vos premiers compagnons?

Anna — Compagnons? Le lac, les nuages, les abeilles, la pluie, les fleurs, le vent... qui ont tellement plus de choses à nous dire et à nous apprendre que les humains et dont la musique, ne vous en déplaise M. Fruitier, est souvent aussi belle que celle des hommes. En somme, je n'ai pas trouvé de compagnons satisfaisants, ce qui parfois me rendait triste à l'excès, mais mon jeune âge m'aidait à contrôler cette tristesse, à la modérer.

E. Fruitier — Mais le jeune âge et la modération n'ont rien en commun!

Anna — Au contraire, l'enfance est la saison de la sagesse!

E. Fruitier — On dit pourtant: « Si jeunesse savait ».

Anna — Je m'explique: le petit enfant, qui n'a droit à rien, qui ne reçoit que ce que les adultes lui accordent capricieusement, doit dominer son monde intérieur. Il recherche son équilibre dans l'extrême dignité et ne se permet de former que des souhaits mesurés, modérés, et remercie toujours avec effusion. Ses parents ne le comprennent pas, mais lui les connaît, eux, à fond. Il pressent leur beau temps, suppute leurs orages et n'ose faire des demandes qu'avec extrême prudence et... innocente stratégie.

E. Fruitier — Plus tard dans votre vie vous vous êtes attachée aux humains et vous avez beaucoup écrit sur l'amour, aussi bien en prose qu'en vers. Qu'est-ce que c'est que l'amour pour vous, comtesse?

Anna — *(Après réflexion)* C'est le dieu de tout ce qui vit:

« Amour, qui dès l'aube du temps
Flottais sur la terre et les eaux;
Toi qui dans l'arbre et dans l'étang,
Meus les poissons et les oiseaux,

Toi qui dans la forêt mouvante
Troubles la sève sous l'écorce,
Et joins, aux heures violentes,
La soumission et la force,

Au-delà du bien et du mal
Mènes les cœurs phosphorescents
Amour au regard d'animal,
Ô dieu des âmes et du sang. »

E. Fruitier — C'est très beau, comtesse, mais c'est très abstrait; c'est l'amour des poètes. Je pensais plutôt à l'amour en tant que lien qui unit deux êtres humains.

Anna — Ah, celui-là je crois qu'on le conçoit bien mal. D'abord il faut détruire le mythe qui veut que l'amour donne des droits. Celui qui aime, celui des deux qui aime le plus n'a aucun droit; il ne peut être ni satisfait, ni rassuré, ni récompensé pour ses soins infinis, sa patience, sa componction.

Attila — Ce n'est pas de l'amour, c'est de la naïveté, de la crédulité!

Anna — C'est l'amour, le vrai, celui qui, *accepté*, fait dire: « Mais, t'ai-je assez remercié de l'amour que j'avais pour toi? »

Mais ce même amour refusé, rejeté par l'être aimé m'a inspiré ceci :

> « Comprends que je déraisonne,
> Que mon cœur, avec effroi,
> Dans tout l'espace tâtonne
> Sans se plaire en nul endroit...
>
> Je n'ai besoin que de toi
> Qui n'as besoin de personne ! »

Cependant, il y a des risques que cet amour sans droits devienne fatigué à plus ou moins longue échéance. C'est alors que l'être tant aimé se retrouve seul et peut se dire, s'il est sincère et intelligent, qu'il a regardé périr le miracle, négligé l'exceptionnel et perdu la passion de l'être qui consentait à tout pour lui donner un instant de plaisir.

E. Fruitier — Est-ce que l'ennui ne peut pas avoir de semblables résultats ?

Anna — Oui, et plus rapidement encore. L'ennui, c'est le mot le plus profond de la douleur humaine si l'on y met l'accent de lassitude et d'infini qu'il comporte : « Je m'ennuie. » C'est ce qui arrive souvent aux amants qui, après leur mariage, tombent des paradis du péché dans l'innocence du fidèle amour.

Galilée — Vous ne croyez donc pas à l'amour éternel ?

Anna — Si peu ! Ainsi, j'ai écrit quelque part : « Elle devint veuve. La douleur qui l'accabla pesa sur elle comme une maladie, dont chacun, *et elle-même*, savait bien qu'elle guérirait. » Mais l'amour a tellement de visages qu'on ne finira jamais d'écrire sur lui.

E. Fruitier — D'autant plus que chacun le conçoit selon sa propre personnalité.

Anna — Très juste, oui ; ou alors, selon les clichés qu'on lui a serinés. Je pense à la chanson créée par Lucienne Boyer : « Parlez moi d'amour ». C'est entendu, les mots ont une part puissante de responsabilité dans les passions de l'amour ; leur torrent a entraîné jusqu'au délire et jusqu'à la mort les esprits submergés par leurs grondements écumeux, mais qui dira la foule immense des propos tenus par le silence ?
(Pause) Se taire !
L'homme qui se tait devant une femme énonce ce fait : « Je viens seulement de m'apercevoir de votre présence. Je vous parlais parce qu'à mes yeux vous n'existiez pas ; mais dès cet instant, je vous vois, aussi je me tais ; vous m'entendez bien ?... » Et la

femme en se taisant déclare: « Nous nous taisons et je l'admets; je vous ai tout à coup bien compris. Que ne vous exprimiez-vous plus tôt? Doutez-vous de ma réponse? »

E. Fruitier — Votre ami, Maurice Barrès, a prétendu que vous trahissiez le secret des femmes. *(Lisant)* « Si nous étions encore aux époques héroïques, il pourrait arriver à cette audacieuse, à cette prêtresse que ses compagnes la déchirassent. »

Anna — Je n'ai rien trahi, j'ai dit la vérité, j'ai voulu aider les hommes et les femmes à mieux se comprendre, à mieux s'aimer et pour ce faire, j'ai utilisé les moyens à *ma* disposition. Avouez que j'étais mal placée pour trahir le secret des hommes!

Attila — Dieu merci pour nous! De toute façon, les hommes n'ont pas de secrets.

Anna — Parce que, même si l'on vous appelle « hommes », vous n'êtes que des petits, devenus grands!

Attila — Et je vous défie de trouver une seule femme qui ne sera pas ravie de se faire appeler « ma petite fille d'amour ».

E. Fruitier — Comtesse, puisque vous voulez tant aider les hommes, avez-vous un conseil à leur donner?

Anna — Oui: « S'il se peut, enfuis-toi d'auprès de celle qui ne t'a pas choisi ». Mais quand Maurice Barrès m'accusait de trahir le secret des femmes, il faisait sûrement allusion au passage suivant, extrait de « Les innocentes ». *(Elle prend un volume et lit)* « Le secret que je t'ai promis et qui trahit les femmes, le voici, mon amour: s'il te plaît de t'assurer de leur passion, de leur attachement, retire-leur un instant ton cœur, tourmente-les, rends-les jalouses, infuse en elles le doute, fais-les souffrir, fut-ce un peu, fut-ce à peine, et ces fronts contents et fiers ploieront sans force sous le joug affreux de la confiance perdue, et des pleurs calmes et stupéfaits descendront sur ces beaux visages, et tu ne verras plus devant toi que l'Ève lamentable qui est née humblement du corps généreux d'Adam. N'abuse pas du secret que je t'ai livré; sois bon. Aime comme tu peux, pauvre homme, toi si ardent mais si pauvre en amour, et laisse-toi aimer selon la sagesse des femmes, dont l'instinct de puissance est un instinct de protection, et songe qu'elles donneraient leur vie avec une véhémence allègre pour ne jamais voir, même quand tu as tort, sur ton visage digne d'orgueil, l'expression décontenancée de la confusion, de la tristesse, et les larmes du petit garçon que tu fus... » *(Elle pose le livre)* Quoi qu'on en ait dit, la lutte de la femme contre l'homme n'est pas dans le sens de lui échapper, mais de lui appartenir infiniment plus que ne le réclament les faibles mâles. »

E. Fruitier — Votre perception de l'amour est remarquable, comtesse.

Anna — Mais, je n'ai fait qu'effleurer le sujet! Vous trouverez bien d'autres choses intéressantes là-dessus dans « Les innocentes » qui a comme sous-titre: « ou la sagesse des femmes », et dans mes autres romans. Mais, je voudrais finir ces quelques pensées sur l'amour en vous lisant ceci: « Quand, entre deux êtres qui se sont aimés, tout est passé, brisé, quand les époux, les amants ont vu s'évanouir les sublimes illusions qu'ils avaient promis de rendre éternelles, il reste encore entre eux un lien indéfinissable, qu'aucune combinaison humaine ne pourrait plus renouer ni satisfaire, mais dont l'âme a bien la connaissance; lien puissant, saturé de mélancolie, d'espérance sans but et sans moyen, mais qui ne se lasse pas, et que j'appellerais le ciel... »

E. Fruitier — Chère comtesse, la semaine dernière, j'avais dû vous demander de céder la parole à Darwin. Aujourd'hui, accepterez-vous de la céder à Galilée?

Anna — Je m'incline et me tais devant celui-ci comme devant celui-là.

E. Fruitier — Signor Galileo, j'aimerais bien vous poser quelques questions sur l'éducation qui vous a préparé à vos remarquables découvertes scientifiques.

Galilée — Comme vous voulez.

E. Fruitier — Allons-y! Vous êtes-vous spécialisé en mathématiques dès le début?

Galilée — J'aurais voulu devenir mathématicien, mais mon père s'y est opposé.

E. Fruitier — Ah! pourquoi?

Galilée — Il estimait que les mathématiques étaient une perte de temps.

E. Fruitier — Que le sort est ironique!

Galilée — J'avais la chance d'avoir du talent dans d'autres domaines de sorte que ma famille était bien embarrassée pour faire un choix. Finalement, mon père a opté pour la médecine.

E. Fruitier — Ha! Ha! Mon fils le médecin! *(Galilée ne comprend pas le sens de cette remarque et E. Fruitier ajoute:)* C'est un phénomène social de notre siècle qu'il serait trop long de vous expliquer, passons.

Galilée — *(N'insistant pas)* Bon! J'avais 17 ans quand il m'inscrivit à l'université de Pise en médecine. Mais j'ai continué d'étudier les mathématiques en secret jusqu'à ce qu'il découvre le pot-aux-roses et entre dans une sainte colère.

E. Fruitier — C'est intéressant de constater que vous-même, Darwin et jusqu'à un certain point, la comtesse ayez tous eu des pères dominateurs.

Attila — Le mien non plus n'était pas doux comme un agneau !

E. Fruitier — Ce qui démontre que le conflit de générations n'est pas une invention récente !

Galilée — À l'université, j'ai tout de suite trouvé des failles dans les mathématiques et la physique d'Aristote. En fait, je discutais si souvent avec mes professeurs qu'on m'avait surnommé « l'objecteur » !

Darwin — Je voudrais souligner, M. Fruitier, l'audace dont Galilée a fait preuve en attaquant Aristote. Dans le monde moderne, il n'y a pas un seul philosophe, pas un seul savant qui soit aussi généralement respecté qu'Aristote le fut en Europe durant des siècles. Thomas d'Aquin, le plus grand philosophe catholique, considérait Aristote comme le philosophe « par excellence ». C'était presque un dieu pour les étudiants de l'époque de Galilée.

E. Fruitier — Je vois : douter d'Aristote devenait périlleux ?

Galilée — Comme vous dites.

Anna — Quand avez-vous fait vos premières découvertes scientifiques ?

Galilée — Chère comtesse, j'avais 19 ans quand j'ai remarqué, un jour, dans la cathédrale de Pise, avec quelle régularité un lustre de bronze que quelqu'un avait fait balancer, traçait un arc dans l'espace.

E. Fruitier — Vous n'étiez donc qu'un adolescent quand vous avez fait la fameuse découverte dont vous nous parlez !

Galilée — Si, signor ! Ce qui a frappé mon imagination est le fait que... *(À Darwin)* voulez-vous me prêter votre montre ? *(Darwin le regarde, étonné, puis prend sa montre dans sa poche et la tend à Galilée)* Ne craignez rien, je vais vous la rendre ! *(Il rit, puis indiquant le public et la caméra)* avec tous ces témoins, vous pensez bien ! ! ! *(Puis, il fait sa démonstration en se servant de la montre comme pendule)* Donc, j'ai constaté que, même si le trajet du lustre raccourcissait, la durée de chaque mouvement, de chaque trajet était toujours exactement la même. Vous voulez que je recommence ? Regardez bien ! *(Après quelques balancements)*

Darwin — C'était une découverte scientifique d'une énorme importance !

Galilée — Vous avez peut-être raison. Tenez, merci pour votre montre. Mais je n'avais rien inventé; j'avais simplement découvert une des lois magiques de la nature qui se manifestait à moi. *(Il se prend le pouls)* Je me suis servi de mon pouls pour mesurer la durée de chaque balancement et il m'est apparu qu'il serait utile d'avoir un appareil pour mesurer les pulsations. J'ai donc inventé le sphygmomètre.

Darwin — Un éblouissant exemple d'imagination créatrice. Un cerveau humain qui saisit deux aspects différents d'une situation et fait deux découvertes en même temps!

Galilée — Merci, Mister Darwin.

E. Fruitier — Vous nous avez fait part de votre désaccord avec les théories d'Aristote; quand avez-vous finalement prouvé la fausseté de sa théorie sur la chute des corps?

Galilée — Après que j'eus quitté l'université... euh... sans avoir obtenu mon doctorat.

E. Fruitier — Pourquoi avez-vous fait cela?

Galilée — Parce que je n'avais plus les moyens de payer mes cours! Bref, j'ai abandonné la médecine, comme Darwin, puis, je me suis lancé dans la géométrie et la mécanique. *(Au public, riant)* Pas celle qui s'occupe maintenant de vos automobiles, non, celle qui étudie le mouvement et l'équilibre des corps. Mes travaux dans ce domaine m'ont valu de devenir titulaire d'une chaire à l'université. C'est alors que j'ai réfuté la théorie d'Aristote, tout simplement en la mettant à l'essai.

E. Fruitier — Vous voulez dire que pendant des milliers d'années, personne n'avait pensé à expérimenter la théorie d'Aristote?

Galilée — C'est exactement ce que je veux dire, M. Fruitier. Durant des siècles, la science n'était qu'une branche de la philosophie. Or, le cerveau humain est un outil puissant qui a accompli bien des merveilles, mais il est aussi remarquablement doué pour échafauder d'énormes monuments d'erreurs, de fantaisies et de toutes sortes d'absurdités et de faussetés.

Mais Aristote avait eu si souvent raison que de nombreux savants présumaient qu'il avait toujours raison.

Darwin — De sorte qu'éprouver ses théories aurait été une insulte à sa mémoire?

Galilée — Exact!

Attila — Ce qui prouve qu'on peut être à la fois instruit et stupide!

Galilée — Hélas, oui!

E. Fruitier — Comment avez-vous démontré qu'Aristote s'était trompé au sujet de la chute des corps?

174

Galilée — *(En parlant, il prend une orange et un raisin dans le plateau de fruits)* En laissant tomber des objets de poids différents du haut de la tour penchée de Pise. Il semble que, même aujourd'hui, la plupart des gens croient que si on laisse tomber, d'une même hauteur, une orange et un raisin, c'est l'orange, l'objet le plus lourd, qui va atteindre le sol le premier.

Attila — Mais oui!

Galilée — Mais non! *(Il fait la démonstration)* Vous Attila et Aristote avez tort! En fait, les deux objets atteignent le sol en même temps. *Dans des conditions idéales. (À Attila)* Encore? *(Il refait la démonstration. Pendant la prochaine réplique de Galilée, Attila prend une orange et un raisin et refait l'expérience pour son propre compte)* Toute la science de la chute des corps dans l'espace, de la matière en mouvement est extrêmement fascinante. Je vais vous en donner un nouvel exemple. Supposons que nous tirons une balle vers une très petite cible à... disons cinquante mètres. Nous visons la cible, le canon, à l'horizontale au niveau de la cible. Quand la balle atteindra-t-elle la cible si elle voyage, disons, à cinquante mètres par seconde?

E. Fruitier — Je suppose qu'elle atteindra la cible en une seconde.

Galilée — Non, la balle n'atteindra *jamais* la cible

E. Fruitier — Jamais, pourquoi pas?

Galilée — À cause de la gravité qui va l'attirer vers le bas et la faire passer *sous* la cible. Et, *dans des conditions idéales*, cela est vrai, indépendamment de la vitesse de la balle et de la distance de la cible.

Attila — Donc, il faut viser au-dessus de la cible pour compenser pour la gravité, comme on vise un peu à gauche ou à droite, selon le cas, d'un animal en mouvement?

Anna — Barbare!

Galilée — Peut-être comtesse, mais juste. Voici une autre hypothèse. Prenons deux boulets de dimensions et de poids identiques. Nous lançons le premier à l'aide d'un canon horizontal qui le propulse à une très grande vitesse. Il tombe au sol, disons à un kilomètre de la bouche du canon. Le second boulet, nous le laissons simplement tomber, au même moment où le premier sort de la bouche du canon et de la même hauteur. Je vous demande, lequel des deux boulets atteindra le sol le premier?

E. Fruitier — Je dirais que celui qu'on laisse tomber arrivera le premier parce qu'il parcourt une plus courte distance.

Attila — Mais non, celui qui est lancé du canon arrivera le premier parce qu'il se déplace plus rapidement.

Galilée — Messieurs, les deux boulets arriveront au sol en même temps. La force horizontale est indépendante de la gravité. Les deux boulets sont attirés par la gravité au même rythme et avec la même force.

Attila — Après avoir démontré les erreurs d'Aristote, êtes-vous devenu un héros, Galilée?

Galilée — Au contraire! Les autres savants étaient furieux. Leur antagonisme m'obligea à démissionner de l'université. C'est alors que j'obtins une chaire à l'université de Padoue.

E. Fruitier — St-Antoine de Padoue, nez fourré partout!

Galilée — Pardon?

E. Fruitier — C'est une espièglerie; je vous expliquerai après l'émission.

Darwin — C'est à Padoue, n'est-ce pas... *(Il s'arrête un instant, regarde E. Fruitier et dit d'un ton inquisiteur)* Nez fourré partout??? *(Il hausse les épaules et continue pour Galilée)* C'est bien à Padoue que vous avez commencé à étudier le firmament?

Galilée — Oui. Les planètes et les étoiles me fascinaient! J'ai considéré la proposition de Copernic qui prétendait que c'était le soleil et non la terre qui était le centre de l'univers. Nous ne savons toujours pas où est le *vrai centre* de l'univers puisque nous n'en connaissons même pas les dimensions. Mais Copernic avait raison, dans ce sens que le soleil est le centre de *notre* système planétaire. *(Il reprend orange et raisin)* La terre n'est qu'une petite boule qui tourne autour du soleil. *(Portant le raisin à sa bouche, facétieux)* Si petite que je peux même la manger!! Et le soleil lui-même décrit une immense orbite dans l'espace. *(Il pose l'orange)* mais je ne le mangerai pas! À l'aide du télescope, — soit dit en passant, je suis un des nombreux inventeurs du télescope — j'ai constaté que la surface de la lune était accidentée, pleine de montagnes et de cratères et qu'il n'y avait pas seulement quelques milliers mais des millions et des millions d'étoiles.

Anna — Vos découvertes alarmaient grandement l'Église?

Galilée — Mais oui: le pape lui-même m'a fait venir à Rome pour interrogatoire et par quatre fois, j'ai été traîné devant *«La congrégation de la suprême Inquisition»* comme je vous le disais la semaine dernière.

Anna — C'est exaspérant!

Galilée — L'Église considérait que tous les corps célestes devaient tourner autour de la terre parce que c'était la planète sur laquelle le Christ était né.

Attila — Je n'ai rien contre le Christ, mais je n'ai jamais entendu de raisonnement plus stupide!

Galilée — *(Rit de la remarque d'Attila)* Finalement, j'ai cédé sous l'effrayante pression de l'Inquisition et cessé d'enseigner que la terre se déplaçait dans l'espace.

Anna — Atroce!

E. Fruitier — On raconte qu'à ce moment-là vous avez murmuré : « E pur, si muove », et pourtant elle bouge! Certains historiens affirment la véracité de cette anecdote, d'autres la nient; pouvez-vous faire la lumière sur ce sujet?

Galilée — Honnêtement, je ne saurais vous répondre. Je suis certain de l'avoir pensé parce que je savais sans aucun doute que la terre tourne. Mais, ce que j'ai pu murmurer... si j'ai murmuré quoi que ce soit... *(Il hausse les épaules)*... après tellement d'années, comment se souvenir avec certitude? Qui d'entre vous tous, ici présents, se souvient *assurément* de ce qu'il a pu murmurer la semaine dernière?

Anna — Peu importe, vous aviez raison de vous opposer à l'Église là-dessus!

Galilée — Merci comtesse, mais je voudrais souligner que je suis toujours resté fidèle à l'Église. Je ne l'ai jamais quittée.

Mais, assez parler de moi, j'aimerais bien en apprendre plus long sur Darwin.

E. Fruitier —Avec plaisir, Galilée. *(À Darwin)* La semaine dernière, nous étions rendus à la publication de votre livre « De l'origine des espèces » en 1859.

Darwin — Oui mais nous allons revenir en arrière, si vous le voulez bien car j'ai omis un événement important. En 1842, j'ai épousé ma chère cousine, Emma Wedgwood qui faisait partie de la grande famille des potiers.

Anna — Qui ont su donner à leur poterie le bleu méditerranéen du ciel de ma Grèce ancestrale.

Darwin — Comme vous dites; mais ce qui compte c'est que la paix, le confort et la sécurité d'un foyer très heureux m'ont permis de continuer de travailler efficacement et de ne pas être trop marqué par les critiques qu'a entraînées la parution de mon livre. Nous avons eu dix enfants dont trois, hélas, sont morts en bas âge, mais les autres étaient très affectueux et nous ont apporté bien des joies. Je n'aurais probablement pas pu accomplir tout ce que j'ai entrepris sans la sécurité de mon « home ».

Anna — Quel touchant témoignage.

Darwin — Je crois qu'il était nécessaire et important car ma vie conjugale m'a redonné la confiance que mon père avait minée. Il m'avait dit: « Charles, tout ce qui t'intéresse, ce sont les animaux. Tu ne feras jamais rien de bon. »

Attila — Ce n'était pas un grand prophète.

E. Fruitier — Vous nous avez dit que votre voyage de cinq ans autour du monde sur le Beagle vous avait appris beaucoup de choses sur le monde animal.

Darwin — Précisément, et plus tard, en lisant son œuvre, j'ai constaté que Malthus avait découvert une vérité primordiale mais troublante.

E. Fruitier — À savoir?

Darwin — Que *l'homme* peut prendre des mesures pour augmenter sa provision de vivres, ou pour diminuer sa population, en ne se mariant pas ou par d'autres moyens. Or ce sont des mesures que les règnes animal et végétal ne peuvent pas prendre. Donc, les animaux et les plantes se reproduisent tant qu'ils peuvent mais leurs moyens de subsistance sont fort limités. Conséquemment, un grand nombre d'entre eux meurent de faim et de leur lutte acharnée pour la survie. Seuls les êtres, les organismes le mieux adaptés à leur environnement sortent victorieux.

E. Fruitier — À cause du manque de nourriture?

Darwin — Justement, oui; avec ce résultat qu'une variation, une transformation anatomique favorable, si insignifiante qu'elle semble, aide un individu d'une espèce donnée à survivre et donc à transmettre cette variation aux générations futures. Inversement, les variations défavorables disparaissent graduellement.

Attila — Pouvez-vous nous donner un exemple?

Darwin — Certainement. Imaginez qu'un certain type d'ours habite une forêt. Imaginez qu'une époque glaciaire s'amorce. Certains de ces ours naissent, disons, avec une fourrure clairsemée tandis que d'autres naissent avec une fourrure touffue ou peut-être avec une couche de graisse plus épaisse.

Il est évident que si la température moyenne s'abaisse en dessous d'un certain point, les ours qui ont la couche protectrice la plus épaisse ont plus de chances de survivre. Comme ils survivent et engendrent des êtres semblables à eux-mêmes, la population d'ours à fourrure épaisse va se mettre à augmenter graduellement.

Galilée — Jusqu'à ce que *tous* les ours de cette espèce aient une fourrure épaisse.

Darwin — Voilà donc, sous une forme simplifiée les fameuses théories de la sélection naturelle et de la persistance du plus apte, « the survival of the fittest », comme on dit dans mon pays.

Attila — Y'a rien de nouveau là-dedans. Même dans mon temps, on savait que si deux obèses se mariaient, plus souvent qu'autrement, ils feraient des enfants obèses; et qu'un homme fort et musclé aurait des chances d'avoir des enfants forts et musclés.

Darwin — Vous n'avez pas tout à fait raison sur le dernier point Attila. *C'est* vrai que les caractéristiques physiques des parents se retrouvent généralement chez leurs enfants, mais nous savons maintenant que les caractéristiques acquises, par opposition à innées, ne se transmettent pas génétiquement.

Attila — Qu'est-ce que ça veut dire tous ces grands mots?

Darwin — Je vais essayer de vous l'expliquer: si un homme s'adonne à l'athlétisme, il est fort possible que ses enfants aussi s'emploient à développer leurs corps. Mais les corps musclés des enfants ne viendront pas de l'hérédité mais des exercices qu'ils auront fait, tout comme leur père.

E. Fruitier — Et vos recherches sur l'évolution...

Darwin — Les effets de l'évolution sont très difficiles à percevoir parce que les changements physiques qu'elle a entraînés chez les espèces ont mis des centaines de mille et même des millions d'années à se manifester.

E. Fruitier — Cependant, chez certaines formes de vie plus simples où la reproduction est plus fréquente, ne pouvez-vous pas *voir* l'évolution se produire sous vos yeux en très peu de temps?

Darwin — Dieu merci, oui. Récemment, un biologiste américain nommé Demerec a constaté, à sa grande surprise, qu'une certaine bactérie continuait à vivre et à se multiplier dans un milieu qui contenait de la streptomycine alors que la streptomycine est un poison fatal à cette bactérie. Des recherches lui ont fait découvrir que cette réussite ne venait pas du fait que la bactérie avait appris à résister à la streptomycine, mais de la présence de quelques bactéries anormales qui résistaient naturellement à la streptomycine.

Galilée — Donc, les bactéries anormales étaient les seules à survivre et à pouvoir se multiplier.

Darwin — C'est juste! Toutes les bactéries normales sont mortes de sorte qu'en très peu de temps, il ne restait plus que des bactéries anormales. Nous pouvons constater tout cela, voir l'évolution se produire sous nos yeux parce que les bactéries se multiplient très rapidement.

E. Fruitier — Je suppose que c'est à peu près tout ce qu'elles savent faire!

Darwin — *(Riant)* Et se nourrir! Comme les mouches à fruit, les drosophyles de David Suzuki, votre scientifique canadien qui a fait de remarquables travaux sur l'évolution et les mutations. Ou encore comme les virus du professeur Manfred Eigen qui poursuit ses recherches sur les origines de la vie, en Allemagne, dans son « Institut de chimie biophysique ». À lui seul, ce nom indique la complexité de la tâche et les sciences qu'il faut maîtriser pour l'entreprendre.

Attila — Une fois expliquées, vos théories me semblent avoir du bon sens. Je comprends qu'à cause du climat ou d'autres circonstances, telle sorte de poisson pouvait se développer une queue plus puissante ou certaine race de tortue, une carapace plus dure; mais que le diable m'emporte si je peux saisir comment de vraies grandes transformations arrivent.

Essayez-vous de me dire que le truc que vous appelez l'évolution peut changer une cuisse de grenouille en aile de poulet?

Darwin — Ce que je voulais dire, c'est que...

Attila — Prétendez-vous que votre « évolution » peut changer graduellement un poisson en lapin ou en cheval? Allons donc, Darwin! Pour rester dans votre monde des animaux, vous essayez de nous faire avaler des couleuvres!

Darwin — Votre question est très sensée, mon ami. Ce dont vous parlez a trait aux différents degrés de probabilité et vous avez raison. Mathématiquement, il est fort improbable que de telles choses soient arrivées. Et pourtant, je vous assure qu'elles se sont produites.

Galilée — J'ai l'impression que c'est dans le facteur temps que réside la solution du problème.

Darwin — Exactement! Chaque changement individuel est minime bien que certaines variations soient dramatiques. Ces mutations sont les grands pas du procédé d'évolution. Mais le temps est primordial. Dans un sens, *tous* les êtres vivants ont le même âge; ils remontent tous à un ancêtre original commun et relativement simple, qui vivait il y a peut-être cinq cents millions d'années. Et c'est *cette* période de temps comparativement longue qui a permis à des millions de petits changements génétiques d'aboutir à la variété d'espèces autour de nous.

Anna — Comment pouvez-vous être certain, mister Darwin, que nos ancêtres sont si vieux?

Darwin — Votre question, comtesse, troublait tous les gens qui croyaient que Dieu avait créé l'univers en six périodes de vingt-quatre heures, il y a à peine cinq mille ans. Mais voilà que nous avons trouvé des restes humains fossilisés qui remontent à environ deux millions d'années.

Attila — Deux millions!

Darwin — Mais oui. Et on a découvert des fossiles d'animaux qui ressemblent à nos crabes modernes dans des roches dont on sait maintenant qu'elles ont approximativement cinq cents millions d'années.

Attila — Cinq cents millions?

Darwin — Oui, Oui, c'est prouvé scientifiquement. Une des choses importantes que ces fossiles nous apprennent, c'est que les poissons sont apparus dans les eaux de notre planète avant les amphibies, les amphibies avant les reptiles, les reptiles avant les oiseaux etc... Les scientifiques croient que ces faits démontrent que la vie s'est développée à partir d'une forme simple, en des formes de plus en plus complexes.

Attila — Minute Darwin! Tout ce qui vit sous l'eau, les poissons et autres choses du genre, comment ça respire?

Darwin — À l'aide d'organes nommés branchies. Elles sont l'équivalent des poumons qui permettent aux animaux terrestres de respirer.

Attila — Changer des branchies en poumons c'est impossible! Vous exagérez.

Darwin — La réponse à votre objection se trouve peut-être dans les différentes étapes de la vie du têtard. Le têtard est engendré comme un poisson. Il éclôt et vit dans l'eau comme un poisson. Il a des branchies comme un poisson. Cela semble établir qu'il a des ancêtres poissons.

Mais, à mesure qu'il grandit, une chose remarquable arrive! Il perd graduellement sa queue et ses branchies; il pousse des petites pattes, en somme, la nature accomplit en lui ce miracle que vous avez qualifié d'impossible. Il se développe des poumons, saute sur la terre et à compter de ce moment, respire de l'air comme un cheval, un chien ou un homme. Nous voyons

181

donc, concrétisés dans cet être amphibie, les mystérieux changements des premières espèces aquatiques qui sont devenues les animaux terrestres d'aujourd'hui.

Attila — D'accord pour vos têtards, mais il y a une marge entre une grenouille et un homme!

Anna — Croyez-vous?

Darwin — Pas si grande que vous pensez, Attila. Durant les neuf premiers mois de son existence, l'homme n'est pas un être terrestre, dans un certain sens, puisqu'il vit dans un milieu liquide. Il n'y a pas d'air dans l'utérus. Après moi, l'embryologie a continué de confirmer ma théorie.

Attila — L'embryologie?

Darwin — C'est la science qui étudie les différents stades de l'embryon, depuis l'œuf jusqu'à sa forme finale. Cette science a découvert que, chez bien des êtres, il y a un stade où l'embryon ressemble beaucoup à un poisson. Plus tard, il ressemble étrangement à un amphibie puis il passe par un stade reptile avant d'atteindre sa forme finale de vache ou d'homme.

Attila — Vous voulez dire de vache ou de femme.

Anna — Fléau!

Darwin — Un troisième signe étaye ma théorie: la remarquable similitude de la structure du squelette des divers animaux. La structure osseuse des pattes d'une tortue marine, des nageoires d'une baleine ou d'une otarie, des ailes d'un oiseau, des pattes de devant d'un quadrupède et des bras d'un homme, toutes ces structures osseuses sont tout à fait semblables.

Attila — *(Se regardant bras et mains)* J'ai des bras d'animal moi?

Anna — S'il n'y avait que les bras!

Darwin — Un quatrième fait qui supporte ma théorie, c'est que nos corps, ceux des humains, contiennent des organes qui n'ont aucun rôle apparent.

E. Fruitier — Comme?

Darwin — L'appendice par exemple. Comme la nature semble faire habituellement des choses raisonnables, il est improbable que l'homme ait été créé avec des organes inutiles. Il semble plutôt que ces organes soient des vestiges laissés par nos lointains ancêtres.

Attila — Si au moins, c'était le cas de la langue de la baronne!

Darwin — Autrefois, ils avaient une fonction mais ne sont plus essentiels à notre santé ni à notre survie. Oh! Une dernière remarque au sujet de l'évolution. Bien des gens épousent ma théorie mais s'imaginent qu'elle traite de choses qui sont arrivées il y a des millions d'années. Ils ont raison, mais ils passent à côté du cœur du problème. L'évolution a *commencé* au moment de l'apparition de la vie sur la terre, elle n'a jamais cessé et ne cessera jamais, tant qu'il y aura de la vie sur cette planète!

E. Fruitier — Mon cher Darwin, auriez-vous l'amabilité de nous lire le fameux dernier paragraphe de votre livre: « De l'origine des espèces »?

Darwin — Certainement M. Fruitier, avec plaisir.

E. Fruitier — Cet extrait devrait vous intéresser particulièrement, comtesse, à cause de ses accents poétiques.

Anna — Vraiment?

Darwin — *(Lisant)* « Comme c'est intéressant de contempler un talus embroussaillé, émaillé de plantes de toutes sortes, orné d'oiseaux qui chantent dans les buissons, d'insectes qui volètent çà et là et dont le sol est canalisé par les vers — et de considérer que toutes ces formes minutieusement construites, si nombreuses et si différentes les unes des autres sont toutes le fruit de lois qui agissent autour de nous. Ces lois, au sens large du mot, sont: *la croissance et la reproduction; l'hérédité,* presque implicitement comprise dans la reproduction; *la variabilité,* c'est-à-dire la capacité de se modifier, *un taux de croissance* très élevé qui entraîne la lutte pour la vie et, par ricochet, *la sélection naturelle* qui, elle, entraîne la disparition des formes moins perfectionnées. »

« C'est ainsi qu'un des buts les plus élevés que nous puissions nous donner, la production d'êtres supérieurs, découle directement de la guerre dans la nature, de la famine et de la mort. »

Anna — La création est une grande roue qui ne peut se mouvoir sans écraser quelqu'un.

Darwin — Oui mais il faut quand même être optimiste puisque: « Durant que cette planète continue de tourner selon la loi de la gravité, une infinité des formes les plus belles et les plus merveilleuses continuent de se développer. »

Galilée — La poésie de ce passage, Darwin, nous démontre que votre révérence envers la nature ressemble à celle de la comtesse. *(À Anna)* Je pense à votre poème, « La vie profonde », voulez-vous nous le dire?

Anna — « Être dans la nature ainsi qu'un arbre humain,
        Étendre ses désirs comme un profond feuillage,
        Et sentir, par la nuit paisible et par l'orage,
        La sève universelle affluer dans ses mains !

        Vivre, avoir les rayons du soleil sur la face,
        Boire le sel ardent des embruns et des pleurs
        Et goûter chaudement la joie et la douleur
        Qui font une buée humaine dans l'espace !

        Sentir dans son cœur vif, l'air, le feu et le sang
        Tourbillonner ainsi que le vent sur la terre.
        S'élever au réel et pencher au mystère,
        Être le jour qui monte et l'ombre qui descend.

        Comme du pourpre soir aux couleurs de cerise,
        Laisser du cœur vermeil couler la flamme et l'eau,
        Et comme l'aube claire appuyée au coteau
        Avoir l'âme qui rêve, au bord du monde assise... »

E. Fruitier — Comtesse, vous nous avez parlé de la nature et des plantes, mais pas des animaux

Anna — Oh, je les admire et les aime, *(Cherchant dans un volume)* et « Les animaux » est justement le titre d'un de mes poèmes :

        « Dieux, gardiens des troupeaux qui tenez des houlettes,
        Rendez-nous l'innocence ancestrale des bêtes ;

        Afin que nous ayons l'endurance des maux,
        Donnez-nous la douceur des sobres animaux.

        Faites que nous ayons dans nos peines insignes
        L'isolement muet et le dédain des cygnes ;

        Donnez-nous, pour souffrir le destin hasardeux,
        L'indolence soumise et distraite des bœufs ;

        Faites que notre cœur où l'enfance se fane
        Ait la gaîté robuste et la candeur de l'âne ;

        Donnez-nous pour lutter contre les serments faux
        La défiance adroite et vive des oiseaux ;

        Faites que nous ayons pour honorer nos veilles
        L'activité joyeuse et grave des abeilles ;

        Donnez-nous pour clamer nos désirs et nos goûts
        L'insensibilité profonde des hiboux,

Et, dans les jours cruels où la raison divague,
Le calme des poissons arrêtés sur les vagues ;

Faites que nous gardions le sens mystérieux
De l'infini qui dort dans le fond de leurs yeux,

Et délivrez nos corps, misérables en somme,
De l'âme glorieuse et maudite de l'homme !..... »

Attila — Je commence à en avoir assez de toutes ces sornettes au sujet des animaux. Je suppose que vous prêchez partout que ce n'est pas bien de faire mal aux animaux ou de les tuer ?

Anna — Bien sûr !

E. Fruitier — Tout comme Thomas More, *Saint* Thomas More le disait ici lors d'une récente émission. Et que dire de saint-François d'Assise ?

Attila — Laissez faire les saints, ce n'est pas d'eux qu'on parle et ce n'est pas à vous que *je* parle. *(Il se tourne vers Anna)* Vous portez des chaussures, n'est-ce pas, baronne ? *(Il se penche et soulève sa jupe ; elle lui frappe la main, outrée ; il éclate de rire)* Non, non, ne craignez rien, ce n'est pas à votre joli corps que j'en veux. J'ai simplement constaté que vos chaussures sont en cuir. Comment pensez-vous que le chausseur a obtenu ce cuir ? En demandant au chevreau s'il pouvait l'emprunter ? Non baronne, ils ont tué, abattu cet animal et lui ont volé son cuir. Et vous êtes bougrement chanceuse qu'ils l'aient fait, sans quoi vous iriez sans doute pieds nus, ce qui peut être vachement incommode en hiver. Qu'est-ce qu'on trouve sur votre table ? Vous ne mangez jamais d'œufs ? Buvez-vous du lait ? Mangez-vous du bœuf... ou du petit agneau du printemps ?

Galilée — Il y a des gens qui sont végétariens et je ne crois pas que...

Attila — Oui, un sur mille tout au plus et les végétariens, au moins, sont conséquents. *(Au public)* Quant à vous, vous n'êtes qu'une bande d'hypocrites. D'un côté, vous vous vautrez dans vos poèmes larmoyants sur les oiseaux et les « magnifiques » animaux et, de l'autre, vous participez à la tuerie de ces mêmes créatures.

Et je ne pense pas que l'attitude outrancièrement sentimentale de la belle baronne réussisse à nous embrouiller au sujet de la mort. La mort est inévitable, elle fait partie de l'ordre *naturel* des choses. Si le dieu auquel vous croyez a eu son mot à dire dans la marche de l'univers, c'est *lui* qui a déterminé que la mort

Attila *(Jean-Louis Millette)*, Anna de Noailles *(Elisabeth Chouvalidzé)*, Edgar Fruitier.

est aussi naturelle que la naissance, que la vie elle-même. *(Au public)* Vous êtes tous devenus flasques et sans échine. Dans mon temps, on voyait la mort tous les jours. La médecine n'existait pas vraiment. On ne savait pas supprimer la douleur ni réduire une fracture. Nous étions assaillis par les inondations, la famine, la maladie, la foudre, les bêtes sauvages, nos voisins et les armées de nos ennemis. Nous vivions quotidiennement en présence de la mort. Il fallait s'adapter à la situation et devenir un des vainqueurs.

Anna — Vous voulez dire un des tueurs!

Attila — C'est la même chose! Il fallait tuer ou être tué, exactement comme dans le monde de la nature que Darwin vient de nous décrire.

Ça me fout en rogne d'entendre tous ces faiblards parler de l'amour de la nature et de la mort; bon dieu, Darwin étiez-vous trop occupé à compter et à peser vos spécimens pour observer la vraie nature de leur existence?

186

Darwin — Non, non, non Attila. Je vous rappelle que j'ai toujours insisté sur la lutte pour la survie. La nature est incroyablement gaspilleuse. Mille créatures meurent pour qu'une seule vive. Les organismes vivants survivent surtout en détruisant la vie des autres.

Attila — Vous avez sacrément raison ! Sous chaque vague, derrière chaque buisson, sous chaque centimètre de sol, dans toutes les jungles, les forêts et les prairies du monde, depuis tous les temps et au moment précis où je vous parle, la planète entière baigne dans le sang. Les êtres de la nature ne meurent pas paisiblement dans leur lit ; leur mort est un martyre ; ils meurent mangés vivants par une créature plus grosse qu'eux-mêmes. Ces mêmes animaux, ces abeilles, ces oiseaux au sujet desquels vous écrivez vos poèmes sirupeux, baronne, vivent tous en volant la nourriture dont ils ont besoin à des êtres qui leur sont inférieurs.

Vous, comtesse de Noailles, vous écrivez un poème sur un mignon petit oiseau qui sautille dans le jardin et les larmes vous viennent aux yeux en pensant à la beauté de cet oiseau. Et qu'est-ce que vous avez à dire du vermisseau qu'il vient de manger vivant ?

Toute cette infecte planète, je le répète, baigne dans le sang à cet instant même, comme elle a toujours baigné et comme elle baignera toujours... *dans le sang.*

Darwin — Vous avez complètement raison, Attila, mais les animaux ne peuvent rien faire pour améliorer leurs dangereuses conditions de vie. L'homme, lui, est différent. En réfléchissant sérieusement sur le problème, il *peut* améliorer les conditions de son existence.

Anna — Mais oui.

Attila — Pas « mais oui », oui *mais* la plupart du temps, il ne fait qu'essayer de la rendre plus confortable. Il invente des moyens de se garder au chaud ; il fabrique des oreillers moelleux et des lits pour se coucher ; il construit des maisons pour se mettre à l'abri de la pluie ; mais dans le monde d'aujourd'hui, je vois bien peu de choses qui démontrent que l'homme soit devenu fondamentalement plus civilisé que dans mon temps. La seule différence que *je* trouve c'est qu'il est devenu plus lâche, même dans sa manière de tuer : maintenant, il tue à distance et non plus de ses propres mains !

Galilée — Mais Attila, l'avènement du christianisme a amené des changements qui ont sûrement dû...

Attila — Le christianisme! Vous me faites rire! Je n'arrive pas d'une autre planète, Galilée! J'ai vécu au cinquième siècle alors que le christianisme était prépondérant et puissant par toute l'Europe. Je n'ai jamais vu de tribus sauvages aussi habiles à s'entre-détruire que les chrétiens. Quelques chrétiens étaient des saints, d'accord, mais si peu! Regardez, encore aujourd'hui! Les chrétiens d'Irlande qui s'entretuaient depuis des siècles viennent de recommencer de plus belle. Et les bons chrétiens des États-Unis ont lancé ce que vous appelez votre « bombe atomique » sur deux villes du Japon où vivaient de nombreux chrétiens.

En deux mille ans, mon cher Galilée, le christianisme n'a pas réussi à enrayer la violence dans le monde.

E. Fruitier — Comtesse, je regrette que vous ayez été entraînée sur ce terrain.

Anna — Oh, vous savez, j'en ai vu et entendu d'autres... lui et moi ne parlons tout simplement pas la même langue!

E. Fruitier — Comtesse, il y a plusieurs sujets que je voudrais aborder avec vous: la poésie, la beauté, la mort — bien que nous en ayions déjà beaucoup parlé — Paderewski que vous avez mentionné plus tôt...

Anna — (Gravement) La mort!... La première chose qui me vient à l'esprit quand je pense à la mort, est une image du film de Cocteau, « Le sang d'un poète »....

E. Fruitier — Que votre neveu, le vicomte Charles de Noailles, avait commandé à Cocteau en même temps qu'il avait commandé « L'âge d'or » à Bunuel.

Anna — C'est juste. Si vous avez vu « Le sang d'un poète », vous vous souvenez de cette scène où un jeune homme se dirige vers un miroir, y entre et y disparaît... (Elle songe un moment à ce qu'elle vient de dire puis, se reprenant): d'abord, je trouve que la mort est injuste, cruelle et absurde et... bien que les événements aient démontré le contraire, je continue de croire que je n'étais pas vraiment faite pour mourir! Mais, attention! Je ne parle pas seulement de la mort physique qui est cruelle mais surtout de la mort psychologique qui est encore plus pénible:
« Les véritables morts sont les cœurs sans audace
Qui n'ont rien exigé et qui n'ont rien tenté; »
Je vous le demande, quelle paix peuvent-ils espérer de la mort, ceux qui n'ont pas commis, une fois dans la vie, le crime dangereux du bonheur?

E. Fruitier — Comtesse, vous avez écrit de nombreux poèmes sur la mort...

Anna — Oui mais je ne crois pas que ce soit le moment d'en dire ici. Il vaut mieux que chacun choisisse le moment opportun de les lire. Cependant, si vous voulez vraiment savoir ce que je ressens devant la mort, je vais vous lire un passage d'« Exactitudes ».

« Ô terre! surface légère, sombre et fleurie, dont l'interminable squelette est formé des vertèbres de toutes les générations; monastère souterrain, aux cellules glacées, je t'ai aimé, cadavre resplendissant, parce que tu m'avais caché ton cœur décomposé, la fougue horrible et le bouillonnement secret de tes entrailles. Mais, à présent, tu n'es plus pour moi qu'une ruche enfoncée, aux alvéoles d'argile et de pierre, où, dans la profondeur éventrée, tu composes le miel hideux de l'injurieuse dissolution. »

E. Fruitier — Mais, c'est plus terrible encore que la mort dont parlait Attila!

Anna — Peut-être, mais cette terreur n'est pas le fait des humains, elle vient de la mort elle-même, cette épouvantable inconnue. Comment la connaître? Auprès de qui voudrait-on s'informer de la mort si ce n'est auprès de celui qui n'est plus?

E. Fruitier — C'est à faire frémir!

Anna — Oui, mais on n'y pense pas assez, même avant notre vieillesse. Les jeunes aussi devraient y penser. Avez-vous déjà songé que chaque mère met au monde un homme mort, un futur mort? Toujours dans « Exactitudes », il y a un dialogue entre un passant et une ombre; laissez-moi vous en résumer un passage. C'est l'ombre qui parle. « Quand ils ne pouvaient me prévoir, mon père et ma mère m'ont donné la vie. Je leur étais étranger dès le moment de ma conception. Comme je respirais à leurs côtés, ils m'imposèrent de jour en jour des coutumes et des préceptes qui n'avaient pas mon agrément. Je grandis dans l'erreur. J'eus quelques joies. Surtout j'ai souffert. Tous mes trébuchements, toutes mes défaillances et mes lamentations sur la voie terrestre, dure aux humains, je les dois donc au couple dont je suis issu, à des embrassements dont ma nature était exclue mais dont elle devait surgir. Tendres et pleins de sollicitude, mes parents, en me suscitant, m'ont condamné à la mort. » Quand un enfant ouvre les yeux, tout ce que nous découvrons n'est qu'une médaille éphémère, frappée pour un instant à l'effigie de l'univers.

Darwin — Voilà un passage qui aurait plu à Malthus!

E. Fruitier — Et qui *me* réconforte d'être célibataire!

Anna — Mais pour ceux qui ont vraiment vécu, la mort est moins terrible et en pensant à la mienne, j'ai écrit :

> « Vous qu'étant morte j'aimerai,
> Jeunes gens des saisons futures,
> Lorsque mêlée à la nature
> Je serai son vivant secret,
> J'ai mérité d'être choisie,
> — Perpétuité des humains ! —
> Par votre tendre fantaisie,
> Car lorsque sur tous les chemins
> Je défaillais de frénésie,
> Je tremblais d'amour et de fièvre,
> J'ai soulevé entre mes mains
> Une amphore de poésie
> Et je l'ai portée à vos lèvres ! »

E. Fruitier — Pour quitter ce sujet sur une note plus gaie, je voudrais, à mon tour, vous lire un passage de Cocteau. C'est intéressant de souligner qu'il est extrait du dernier livre que Cocteau ait écrit, que c'en est le dernier paragraphe et que c'est une œuvre posthume. *(Il prend une feuille)* « Après ma mort, j'irai voir Anna de Noailles. Je traverserai un vestibule de nuages. Je pousserai la porte et j'entendrai la voix des disputes : « Mon petit, vous le voyez, il n'y a rien, rien après. Vous vous souvenez... je vous l'avais dit ! » ... et pour ma joie éternelle, tout recommence. La comtesse parle. »

Anna — Quel joli compliment ! Quel être adorable ! Et que dans ce cas-ci, on ne peut accuser de basse flatterie... bien que... je dois vous avouer qu'il n'est pas encore venu me voir ! ! !

E. Fruitier — Il est peut-être en enfer ! Comtesse, en pensant à votre propre mort, vous avez dit :

> « J'écris pour que le jour où je ne serai plus
> On sache comme l'air et le plaisir m'ont plu,
> Et que mon livre porte à la foule future
> Comme j'aimais la vie et l'heureuse Nature. »

Je passe deux quatrains pour arriver au dernier :

Attila — Tant mieux !

E. Fruitier — « Et qu'un jeune homme, alors, lisant ce que j'écris,
Sentant par moi son cœur ému, troublé, surpris,
Ayant tout oublié des épouses réelles,
M'accueille dans son âme et me préfère à elles... »

Eh bien, comtesse, j'ai un aveu à vous faire : vos vœux ont été exaucés, au moins dans mon cas, puisqu'à dix-huit ans, j'étais amoureux de vous.

Anna — Continuez, ça m'intéresse énormément !

E. Fruitier — Amoureux de vous sans vous connaître, et avant même de savoir que vous étiez si belle, à cause d'un de vos poèmes qu'un professeur de belles-lettres, un jésuite — il y en a qui sont mieux que les autres, — nous avait fait étudier.

Sa beauté, sa musicalité m'avaient plu mais je crois que c'est surtout le calme et la sérénité qui s'en dégagent qui m'avaient enchanté. Pour terminer cette émission, je voudrais vous demander, comme faveur personnelle, de nous le lire.

Anna — Je suis très touchée, M. Fruitier, vous me comblez et bien sûr j'accepte.

E. Fruitier — Ça me rappellera... des anciennes amours...

Anna — *(Elle prend le livre)*

Après l'ondée

« Dieu merci, la pluie est tombée
En de fluides longues flèches,
La rue est comme un bain d'eau fraîche,
Toute fatigue est décourbée.

Les réverbères qui s'allument
Par cette nuit lourde et mouillée,
Brillent dans la ville embrouillée
Comme des phares sur la brume.

Un parfum de verdure nage
Dans toute cette eau renversée ;
À petites gouttes pressées
L'été s'évade du naufrage.

On voit des gens à leur fenêtre
Qui, le corps et le rêve en peine,
Respiraient et vivaient à peine,
Et que l'ondée a fait renaître.

La journée était moite et lente
Et couvait trop son rude orage,
Maintenant l'esprit calme et sage
Se trempe d'eau comme une plante.

L'âme était sèche, âcre et rampante,
L'éclair y préparait sa course;
L'air est dans l'air comme une source,
D'humides courants frais serpentent,

Tout se repose, tout s'apaise,
Tout rentre dans l'ombre et le somme,
Tandis que meurt au cœur de l'homme
Le feu des volontés mauvaises. »

E. Fruitier — Merci beaucoup comtesse, merci messieurs, merci de nous avoir rendu visite.

Achevé d'imprimer
en janvier mil neuf cent quatre-vingt-quatre
sur les presses de l'Imprimerie Laprairie enr.
La Prairie, (Québec)